KB077145

출판반인쇄기념총서9

빅데이터 분석 이해하기

딥러닝을 이용한
객체 검출과 이미지 분할

Object Detection
and Image Segmentation
with Deep Learning

변행원 지음

변해원

아주대학교 의과대학 예방의학교실에서 치매 고위험군 예측을 주제로 이학박사 (DrSc)를 취득하였고, 현재 인제대학교 메디컬 빅데이터학과 / BK21 대학원 디지털 항노화헬스케어학과 교수 및 인제대학교 부속 보건의료 빅데이터 연구소 센터장으로 재직하고 있다. 2010년부터 2023년까지 International Psychogeriatrics 등 국내외 저명 학술지에 400여 편의 논문을 발표하였고, 파킨슨 치매 중등도 예측장치 등 100여 건의 지식재산(특허)을 발명하였다. 또한, 스위스 뇌과학회 학술대회, 일본 국제융합과학학술대회 등 다수의 국내외 학술상을 수상하였다. SCIE급 저널인 세계정신과학에서 편집위원으로 활동하고 있으며, 2019년부터는 한국연구재단에서 주관하는 일반인 대상 과학강연인 '토요과학강연회의 강연자로 참여하고 있다. 저서로는 「노년기 건강 습관과 치매」 등이 있다.

딥러닝을 이용한 객체 검출과 이미지 분할

지은이   변해원 (인제대학교 교수 / 인제대학교 부속 보건의료 빅데이터 연구소 센터장)

발 행   2024년 03월 04일
펴낸이   한건희
펴낸곳   ㈜ BOOKK
출판사등록   2014.07.15.(제2014-16호)
주 소   서울특별시 금천구 가산디지털1로 119 SK트윈타워 A동 305호
전 화   1670-8316
이메일   info@bookk.co.kr

ISBN   979-11-410-7485-2

값 23,200원

www.bookk.co.kr

딥러닝을 이용한 객체 검출과 이미지 분할

Object Detection and Image Segmentation with Deep Learning

변해원 (인제대학교 교수 /
인제대학교 부속 보건의료 빅데이터 연구소 센터장)

BOOKK

목 차

들어가며

이 책에서는 "로컬 세그멘테이션(local segmentation)"이라는 낮은 수준의 이미지 처리를 위한 통합적인 이론을 소개합니다. 로컬 세그 멘테이션은 기존 알고리즘을 검토하고 이해하는 방법과 새로운 알고 리즘을 개발하기 위한 패러다임입니다. 이 방법은 다양한 중요한 이 미지 처리 작업에 적용할 수 있습니다. 기존의 세분화 기법인 강도 임계값과 간단한 모델 선택 기준을 사용하는 새로운 FUELS 노이즈 제거 알고리즘은 다양한 이미지에서 최첨단 알고리즘과 경쟁력이 높 은 것으로 알려져 있습니다. 국소 분할을 개선하기 위해 모델 선택 에 대한 최소 메시지 길이 정보 이론적 기준(MML)을 사용하여 구조와 복잡도가 다른 모델 중에서 선택합니다. 이로써 노이즈 제거 성능이 향상됩니다. FUELS와 그 변형인 MML은 특별한 사용자 제공 파라미 터가 필요하지 않고 이미지 자체에서 학습합니다.

일반적으로 이미지 프로세싱에 로컬 세그멘테이션 방법론을 적용하 면 큰 이점을 얻을 수 있다고 여겨집니다. 객체 인식은 이미지의 패턴 인식을 통해 객체를 감지하고 레이블을 지정할 수 있는 이미 지 프로세싱 분야의 새로운 기술입니다. 동시에 혼합 현실은 가상 세계와 실제 세계를 결합하여 두 차원의 요소가 공존하는 디지털 환경을 구현하는 것을 의미합니다.

이 책은 이미지 세분화 알고리즘과 이미지 향상 기법을 통합하여 사용자가 탐색할 때 관련 정보를 제공하는 객체를 보다 효율적으로 인식함으로써 혼합 현실에서의 내비게이션 경험을 향상시키는 것을 목표로 합니다. 이미지 분할 알고리즘과 이미지 향상 기법은 비디오에서 구현되며, 객체 특징을 감지하고 수정하여 내비게이션 작업에 필요한 정보에 따라 해당 인스턴스가 시각적으로 강조되거나 하향 조정됩니다. 그 후 사람의 인식에 미치는 영향을 확인하기 위해 두 가지 사용자 테스트를 수행합니다. 첫 번째 테스트에서는 사용자가 가상 요소에 주의를 집중하고 가장 주목할 만한 물체를 선택하도록 요청합니다. 이 책의 방법론이 구현된 두 번째 테스트에서도 사용자는 비디오에 추가된 가상 요소에 집중하고 가장 눈에 띄는 요소를 선택하도록 요청받습니다. 결과적으로, 물체를 강조하는 데 사용된 기술을 통해 독자들은 물체를 더 쉽게 인식할 수 있는 기술을 학습하게 될 것입니다. 끝으로, 이 책을 집필하는 데 도움을 준 김윤지(인제대 보건행정학과 졸업), 디지털항노화헬스케어학과 석사과정 빈선재, 석사과정 응웬비엣흥, 그리고, 약학과 학부생 남성윤에게 감사를 전합니다.

1장. 이미지 세분화란?

인간의 눈은 개별 광선을 볼 수 있지만, 사람, 자동차, 건물 등 세상을 구성하는 모든 것을 인식하는 능력은 인간의 뇌에 있습니다. 카메라는 개별 광선을 포착할 수 있지만 컴퓨터는 각각의 컬러 도트를 구별할 수 있는 능력이 있습니다. 인간과 컴퓨터의 시각적 인식 사이에 존재하는 답답한 차이는 컴퓨터 비전 분야에서 오랫동안 일해 온 사람들을 지속적으로 괴롭혀 왔습니다. 이 분야에서 일하는 사람들은 상당한 기간 동안에 이 문제를 해결해야만 했습니다. 다양한 색상의 점 모음처럼 단순한 것이 어떻게 김이 모락모락 나는 커피잔처럼 복잡한 것이 될 수 있을까요?

컴퓨터가 접하는 수많은 종류의 사물을 모두 식별하고 정리하도록 어떻게 가르칠 수 있을까요? 이 주제를 조금만 생각해 보면 하나의 색깔 점이 그것이 속한 더 넓은 개체에 대해 상대적으로 적은 정보를 전달한다는 것을 즉시 알 수 있습니다. 이러한 이해는 해당 주제에 대해 생각하기 시작한 직후에 이루어집니다. 하나의 검은 점만으로는 치타를 식별할 수 없으며, 이 종의 특징인 황금색 털에 반복적으로 나타나는 뚜렷한 검은색 반점을 인식하기 위해서는 시야의 더 넓은 부분이 필요합니다. 시야가 넓으면 치타를 더 잘 인식할 수 있습니다. 따라서 사물을 정확하게 인식하기 위해 사진의 어떤 특징에 초점을 맞춰야 하는지 선택해야 하는 어려운 문제가 발생합니다. 이 질문에 대한 해답은 당연히 항목을 구성하는 픽셀입니다.

안타깝게도, 사물은 혼란스러운 다양한 형태를 취할 수 있습니다. 치타와 같은 하나의 아이템이라도 관찰하는 시각에 따라 그 모습은 크게 달라질 수 있습니다. 이것이 세계를 매혹적이고 예측할 수 없는 곳으로 만드는 요소 중 하나입니다. 이는 현실 세계에서 일어나는 수많은 끔찍한 사례 중 하나일 뿐입니다. 가능한 모든 픽셀 조합을 검색하는 것은 불가능하기 때문에 프로세스를 더 관리하기 쉽게 만들기 위해 사용 가능한 대안의 총 수를 줄이는 전략을 고안해야 합니다. 물체 식별 분야에서 수행된 대부분의 연구는 이 문제를 해결하기 위해 사전 설정된 패턴의 형태로 픽셀의 하위 집합을 사용하는 기술에 의존해 왔습니다. 이는 문제를 회피하기 위한 노력의 일환으로 이루어졌습니다. 사진을 정확하게 분류하려면 이미지 전체를 분석해야 합니다. 이 과정에서 주요 목표 중 하나는 특정 항목이 장면의 어느 부분에서 볼 수 있는지 여부를 결정하는 것입니다. 다음은 사진을 분류하는 다양한 방법을 다루는 목록입니다. 이러한 예는 다음 목록에 포함됩니다. 또한 특정 모양을 가진 사진 조각의 픽셀 내에 저장된 정보를 고려하는 광범위한 패치 기반 처리 알고리즘도 있습니다. 픽셀이 그리드 배열로 배열되는 경우가 많으므로 정사각형, 직사각형 또는 상자 중 하나를 선택하는 것이 좋습니다. 이 중에서 원하는 모양을 선택할 수 있습니다. 이러한 형태를 그림 내의 다양한 지점으로 이동하고 높이, 너비, 방향 및 기타 기능을 조정하여 검사해야 하는 픽셀 하위 집합의 양을 더 관리하기 쉽게 만들 수 있습니다. 이렇게 하면 평가해야 하는 픽셀 하위 집합의 총 수가 줄어듭니다. 따라서 조사해야 하는 전체 픽셀 하위 집합의 수가 줄어듭니다.

반면에 형태 선택은 다양한 실용적 고려 사항의 영향을 많이 받습니다. 치타를 구성하는 픽셀을 지정하는 요청을 받았을 때, 정사각형은 체스판 디자인을 할 때만큼 유용하지 않을 수 있습니다. 디지털 사진 편집이나 로봇 공학 등 일부 애플리케이션에서는 항목 주위에 상자를 그리는 것만으로는 충분히 정밀하지 않습니다. 이러한 애플리케이션에는 더 높은 수준의 정확도가 필요합니다. 오히려 더 높은 수준의 정밀도에 도달하기 위해서는 이러한 알고리즘이 어떤 픽셀에 초점을 맞추고 있는지 정확하게 인식해야 합니다. 기계가 컵의 손잡이를 잡으려고 노력하다가 결국 잡을 수 없다는 것을 깨닫고 음료에 손을 흠뻑 적신다면 참을 수 없을 것입니다. 이는 매우 실망스러운 시나리오가 될 것입니다. 정확한 물체 마스크는 특정 물품의 식별에 상당한 도움이 될 수 있습니다.

여기에 좋은 예시가 있습니다. 그림 1.1에서는 각 카테고리로 분류된 여러 부분을 살펴봅니다. 상자가 이러한 요소를 포함하면 비객체 픽셀 수가 포함된 객체 픽셀 수보다 많아질 수 있습니다. 상자 전체 정보를 수집하면 특정 항목과 무관한 정보가 우선시되어 사물을 인식하는 과정이 어려워집니다. 이미지를 편집하는 소프트웨어가 치타의 색상을 변경하여 상자 전체가 파란색으로 변하면 제품 판매량에 상당한 영향을 미칠 수 있습니다. 물체의 정확한 위치 정보에 접근하면 프로세스와 애플리케이션 모두에 도움이 될 수 있습니다. 이는 물체를 인식하고 픽셀 마스크를 정확히 나타내는 목표, 즉 물체 인식 및 물체 세분화의 목적을 강조합니다.

• **문제 설명**

마스킹되는 사물의 윤곽을 학습하는 것은 개체 마스크에 포함되어야 하는 올바른 픽셀을 선택하는 데 사용할 수 있는 방법 중 하나입니다. 개체의 윤곽이나 실루엣을 나타내는 다양한 접근 방식이 있습니다. 각 접근 방식은 고유한 장단점을 가지고 있습니다. 다음은 이러한 접근 방식의 사례와 관련된 추가 예시입니다:

또 다른 방법은 사물을 여러 개의 딱딱한 섹션으로 분할한 다음, 각 세그먼트가 분할된 후 각 구성 요소의 형태와 서로에 대한 세그먼트의 배열을 모델링하는 것입니다. 이 전략은 다른 여러 방법론과 함께 사용됩니다. 이러한 기법은 딱딱하거나 구성 요소 수가 제한된 아이템에 유용할 수 있습니다.

또 다른 예시는 소화전이나 뛰어다니는 특정 품종의 말의 단면도를 추가할 수 있는 구성 요소의 예시입니다. 그러나 이 목록이 완전하지는 않습니다. 그림 1.2에 표시된 모든 내용을 고려해야 하며, 이는 다양한 항목을 포함합니다. 이 범주에 속하는 물체는 자동차와 같이 딱딱한 물체부터 유연한 몸통과 꼬리를 다양한 위치에 배치할 수 있는 치타와 같이 변형이 쉬운 물체, 그리고 물처럼 모양이 변하는 특별한 정보를 제공하지 않는 물체까지 다양할 수 있습니다. 물은 이 범주에 속하는 물체의 한 예입니다.

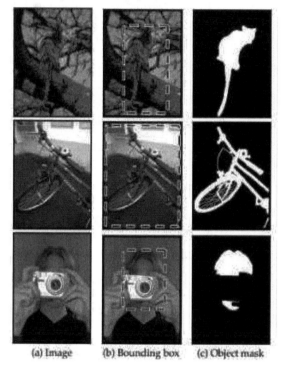

(a) Image   (b) Bounding box   (c) Object mask

그림1.1 (a) 이미지, (b) 관심 객체를 둘러싼 경계
상자 그리고(c) 픽셀 정확도 객체 마스크의 예시.

이러한 항목은 매우 다양한 형태를 취할 수 있기 때문에 하향식 객
체 정보로는 이러한 항목의 객체 마스크를 구성할 수 있는 가능한
픽셀 집합을 효과적으로 제한할 수 없습니다. 따라서 일부 픽셀을
함께 그룹화하여 결과적으로 구성에 사용할 수 있는 총 공간을 줄
일 수 있는 데이터 기반 또는 상향식 전략을 사용해야 합니다.

Object classes

Bicycle, Bird, Boat, Body, Book, Bottle, Building, Bus, 7 Butterfly species, Car, Chair, Cow, Dining table, Dog, Face, Flower, Grass, Horse, Motorcycle, Person, Plane, Potted plant, Road, Sheep, Sign, Sky, Sofa, Spotted cat, Train, Tree, TV / Monitor, Water

그림1.2. 이 논문에서 모델링할 객체의 예시

이러한 이유로, 예비 픽셀 그룹화 결과를 생성하기 위해 비지도 이미지 분할 방법을 채택하는 경향이 증가하고 있습니다. 이는 보다 정확한 결과를 얻기 위한 조치로 이루어집니다. 또한, 이는 사람의 개입 없이도 사진을 분할할 수 있는 방법으로, 그 효과적인 성능 때문에 주목받고 있습니다. '감독되지 않은 이미지 분할'이라는 용어는 상황에 따라 다양하게 사용될 수 있는 다소 일반적인 정의를 가지고 있습니다.

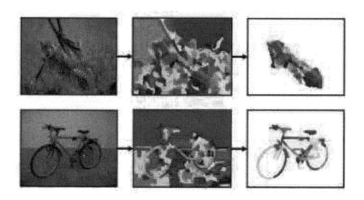

그림1.3 세분화 생성된 영역을 선택하고 결합하여 오브젝트
마스크를 형성하는 그림

이 책에서 제인하는 전략은 데이터 기반 상향식 픽셀 그룹화를 통해 이미지 특징 계산을 위한 공간적 지원을 제공하고 물체의 정확한 위치를 정의하는 데 사용할 수 있는 이미지 영역을 정의하는 기본 원칙에 기반합니다. 이것이 저희가 제안하는 방법론의 핵심 원칙입니다. 데이터 기반 상향식 픽셀 그룹화 접근 방식은 이 기본 아이디어를 바탕으로 합니다. 이 제안은 데이터 기반 상향식 픽셀 그룹화를 사용하여 이미지 영역을 결정할 수 있다는 전제를 기반으로 합니다. 이것이 이 아이디어의 기반이 되는 전제입니다. 이러한

관점을 통해 우리는 이것이 실행 가능하다는 인상을 받았습니다. 이 아이디어에 대한 명확하고 명쾌한 설명과 함께 정확한 오브젝트 마스크를 생성하기 위해 세분화 영역의 결합을 어떻게 활용할 수 있는지에 대한 데모를 제공하는 그림 1.3을 아래에서 확인할 수 있습니다. 이 책에서는 객체 클래스를 인식하고 해당 위치에 대한 픽셀 단위의 정확한 마스크를 생성하기 위해 상향식 이미지 분할과 하향식 객체 정보를 결합하는 것과 관련된 문제를 정의하고 조사하며 새로운 방법을 제안하는 것을 목표로 합니다. 또한 이 책에서는 이 두 가지 유형의 정보를 결합하는 새로운 방법을 제안할 것입니다. 더불어 이 책에서는 앞서 언급한 데이터 형태를 결합하는 데 사용할 수 있는 새로운 접근 방식을 제공할 것입니다. 이 연구 프로젝트가 완료되면 앞서 언급한 목표를 달성할 수 있을 것입니다.

- **접근 방식 및 문서 개요**

지도되지 않은 이미지 분할을 통해 생성된 이미지 영역을 객체 식별에 활용하려면, 먼저 영역과 해당 영역이 나타내는 항목 간의 관계를 이해해야 합니다. 이를 통해 지도된 이미지 분할 결과를 활용할 수 있습니다. 이미지 분할은 이미지의 픽셀을 그룹화하고 각 영역이 식별해야 하는 항목에 해당한다고 가정하는 "블랙박스" 접근 방식을 사용하여 가장 간단한 방식으로 수행할 수 있습니다. 이러한 접근 방식을 이미지 세분화를 "블랙박스"로 사용한다고 합니다. 저희는 또다른 연구에서 세분화의 '정확성'을 평가하는 여러 기준과 실험을 제안했습니다. 이러한 기준은 세분화 알고리즘이 적절한 블랙박스일지 여부를 판단하고 여러 알고리즘의 효율성을 비교하는 데 활용될 수 있습니다. 조사 결과, 상향식 이미지 분할이 그렇게 복잡하지 않은 방식으로 사용될 수 없다는 결론에 도달했습니다. 실험 결과에 따르면, 세분화 영역이 평가 대상과 완벽하게 일치하는 경우는 거의 없습니다. 대신 항목의 일부를 나타내거나 사물에 속하는 픽셀과 사물에 속하지 않는 픽셀로 구성될 수 있습니다. 또는 픽셀을 전혀 포함하지 않을 수도 있습니다. 이러한 세분화 영역과 객체 간의 관계를 과도하거나 미흡한 세분화라고 하며, 세분화를 생성하는 데 사용된 알고리즘, 알고리즘의 매개변수, 사용된 이미지에 따라 변경될 수 있으며 동일한 이미지 내에서도 변경될 수 있습니다. 즉, 과도한 및 미흡한 세분화는 모두 세분화 오류의 한 종류입니다. 이러한 결과는 이미지 분할을 물체 식별 문제에 적용하는 방법에 대한 동기를 부여합니다. 물체 인식은 어려운 작업입니다. 물체 식별과 물체 분할에 대한 실험은 이 논문의 뒷부분에서 다룰 것입니다.

제가 작성한 텍스트를 학술 서적 수준으로 교정해드리겠습니다:

이제 평가 절차가 정해졌으므로 이미지 분할을 물체 식별 시스템에 통합하기 위한 계획을 논의할 수 있습니다. 이 방법은 먼저 상향식 비지도 분할을 사용하여 이미지를 영역으로 나눈 다음 각 영역을 특성화하고 하향식 객체 지식을 활용하여 영역을 선택하고 결합하여 객체 마스크를 구축하는 것입니다. 이 절차 이후에는 각 영역을 개별적으로 설명합니다. 이 단계가 저희 기술의 가장 고급 단계입니다. 이미지 설명을 생성하려면 이미지 픽셀을 이름을 지정할 수 있는 속성으로 변환해야 프로세스가 성공적으로 수행됩니다. 우리의 경우, 설명은 사진 분할 프로세스의 결과로 생성된 영역을 기반으로 구성됩니다.

다음에서는 영역 내에 포함된 시각적 구조를 설명하는 두 가지 접근 방식을 소개합니다. 첫 번째 그림은 반복적인 텍스처를 더 전형적으로 묘사한 것으로, 치타의 몸통과 같이 독특한 패턴을 가진 항목을 발견하는 데 유용합니다. 그러나 모든 표면이 다른 각도에서 보았을 때 동일한 텍스처를 나타내는 것은 아닙니다. 또한 실험 결과, 세그먼테이션으로 생성된 영역이 항상 적용되는 물체 전체를 포함하는 것은 아니며, 이러한 영역의 범위는 특정 세그먼테이션 알고리즘과 사용되는 매개변수의 변덕에 따라 달라질 수 있다는 것을 보여주었습니다. 이는 세분화에 의해 생성된 영역이 항상 적용되는 객체의 전체를 포함하지 않는다는 사실에서 입증되었습니다. 그 결과 두 번째 표현은 특정 영역의 내부와 주변에 위치한 시각적 구조를 고려하는 최첨단 지역 기반 컨텍스트 기능(RCF)입니다. RCF는 지역을 둘러싸고 있는 구조물 중 해당 지역에 중요한 구조를 선택하는 데 있어 원칙적이고 보다 신뢰할 수 있는 방법을 제공합니다. 이는 영역의 면적을 기준으로 구조를 그룹화하는 대신 크기를 기준으로 영역을 둘러싼 구조를 그룹화하여 수행됩니다. 이를 통해 RCF는 지역을 둘러싸고 있는 구조물 중 지역에 중요한 구조물을 선택한다는 목표를 달성할 수 있습니다.

상향식 사진 분할 방법은 동일한 객체 레이블을 공유해야 하는 픽셀 그룹을 제안하고, 각 영역의 정보를 실제 사용에 더 적합한 방식으로 표현했습니다. 이 방법은 이미지의 중심에서 멀리 떨어진 픽셀부터 시작하기 때문입니다. 이제 어떤 영역과 품질이 어떤 종류의 항목과 연결되어 있는지 정의할 수 있도록 위에서 아래로 사물에 대한 정보를 주입하는 것이 중요해졌습니다. 지금까지 객체 마스크를 생성하기 위해 수행된 대부분의 작업은 사람이 만든 객체 마스크로 구성된 완전히 감독된 학습 데이터에 의존해 왔습니다. 지금까지 이 방식이 사용된 대부분의 작업에서 이러한 학습 데이터를 사용해왔습니다. 이러한 데이터를 수집하는 데는 많은 비용이 들며, 결과적으로 사용 가능한 리소스가 충분하지 않아 더 많은 수의 객체와 사진을 처리할 수 없습니다. 그러나 어떤 형태로든 감독되지 않은 객체 레이블이 포함되지 않은 학습 데이터를 수집하는 것은 어렵지 않습니다. 이 정보는 아이템 검색에 사용될 수 있지만, 사람의 개입이 없기 때문에 새로 발견한 아이템이 흥미롭다는 보장은 없습니다. 6장에서는 사진에 포함된 요소에 부분적으로만 태그가 지정된 사진으로 구성된 훈련 데이터 세트가 제공됩니다. 이를 통해 이러한 사진을 사용하여 지역의 속성을 분류하는 방법을 학습할 수 있습니다. 그러나 객체의 배치나 사용되는 객체 마스크에 대한 정보는 제공되지 않습니다. 이러한 데이터 세트에 대한 각 표현의 상대적인 이점을 조사하고 이 방법이 최첨단 기술 발전에 부합하는 결과를 산출한다는 것을 입증하기 위해 다양한 데이터 세트에서 영역 표현과 분류기를 사용하여 광범위한 테스트를 실행합니다. 이러한 테스트는 해당 데이터 세트에 대한 각 표현의 상대적 이점을 조사하기 위해 수행됩니다. 지금까지는 물체 감지 및 세분화를 위한 프레임워크가 암묵적으로 사진 세분화를 통해 생성된 영역이 "유용"하다는 것에 의존해 왔습니다. 하지만 이제 더 나은 방법이 생겼습니다. 이러한 영역은 사진 구조의 고차 통계를 계산할 수 있을 만큼 충분히 커야 하지만, 분석하는 항목의 한계에 맞지 않을 정도로 커서는 안 됩니다.

이미지 분할 소프트웨어로 수행한 테스트 결과에 따르면, 단일 사진의 분할에 대해 비논리적인 가정을 하는 동시에 각각의 고유한 사진에 대해 많은 상향식 분할을 사용할 것을 권장합니다. 반면에, 우리는 각각의 세그먼트에 우리가 활용하는 여러 기술과 매개변수에 의해 생성된 정보가 있다고 믿으며, 물체 식별과 물체 세그먼테이션을 향상시키기 위해 이 모든 것을 함께 사용합니다. 작은 영역은 특정 지역 구조를 더 잘 포착하는 반면, 넓은 영역은 사물의 존재에 대한 맥락적 표시를 전달할 수 있습니다. 객체의 경계에 속하는 영역은 객체 고유의 정보를 제공합니다. 또한 올바른 개체 경계는 영역의 합집합의 하위 집합일 가능성이 높습니다.

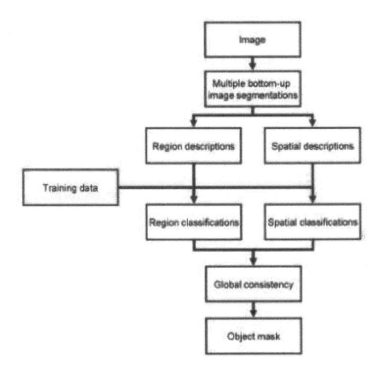

그림1.4. 알고리즘 개요

경계는 하나의 세그먼트에만 한정되지 않을 수 있습니다. 다른 세그먼트에도 존재할 수 있습니다. 실험 결과를 통해, 우리가 개발한 물체 인식 패러다임에서 많은 수의 세그먼테이션을 활용하는 이점을 제시합니다. 여러 사진을 분할해도, 예를 들어 사람의 셔츠나 바지와 같은 특정 항목의 특정 측면을 모두 포괄하는 영역이 없을 수 있습니다. 이는 특정 개체가 다양한 구성 요소를 가지고 있기 때문입니다. 지역 기반 컨텍스트 기능은 지역 외부에서 일부 정보를 가져오지만, 이 정보는 여전히 지역 정보로 간주됩니다.

8장에서는 오브젝트의 구성 요소 영역의 공간 배열을 명시적으로 모델링하여 공간 정보를 캡처하고 시스템 전체에서 일관성을 유지할 수 있는 방법을 살펴봅니다. 이를 위해 3D 환경에서 오브젝트의 구성 요소 영역의 공간 배치를 명시적으로 모델링합니다. 그러나, 우리가 표현하고자 하는 대부분의 오브젝트는 자연 상태에서는 상당히 가변적입니다. 따라서 파트 기반이나 형태 기반 방식은 성공적으로 구현하기 어렵습니다.

대신, 우리는 쌍으로 된 지역 인접성을 표현하는 더 유연한 제약 조건을 선택하여 모델링했으며, 모델이 공간적 일관성을 유지하도록 보장하기 위해 무작위 필드 공식을 활용합니다. 지역 설명, 다양한 분류 방법, 공간 일관성을 다루는 논문도 있습니다. 이 논문의 목적은 객체 식별 및 객체 분할을 위한 프레임워크에 지도되지 않은 사진 분할을 추가하는 과정과 관련된 질문 모음을 조사하고 답하는 것입니다.

이 기술을 뒷받침하는 증거를 제공하기 위해, 세분화 영역과 객체 마스크 간의 관계를 조사하는 일련의 실험을 신중히 수행했습니다. 이미지 분할의 한계를 극복하기 위해 영역을 보다 정확하게 표현하는 특징을 구성하고, 각 이미지에 대해 여러 분할을 활용하며, 영역 레이블 간에 공간적 일관성을 설정할 수 있는 가능성을 연구했습니다. 이 과정을 통해 문제를 해결할 수 있습니다. 이 절차는 가장 기본적인 단계로 나뉘며 그림 1.4에서 설명했습니다. 더 나아가서, 객체 인식 및 세분화 시스템을 구현함으로써 우리는 이러한 접근 방법을 통해 광범위한 사진 데이터 세트에서 최첨단 성능을 달성했습니다.

디지털 기술의 발전으로 인해 매일 생성되는 시청각 콘텐츠 양이 증가하고 있습니다. 다양한 매체를 통해 소비자들은 저장 장치, 디지털 텔레비전, 네트워크 등으로 이 정보에 접근하고 있습니다. 그 중에서도 가장 대표적인 매체가 인터넷입니다. 멀티미디어 애플리케이션의 보급으로 시각 정보를 효과적으로 처리하고 표현하는 방법에 대한 연구가 더욱 중요해졌습니다.

이와 같은 방법은 멀티미디어 애플리케이션의 사용이 더욱 널리 보급됨에 따라 더 많은 용량이 요구되고 있습니다. 상호 작용, 수정, 편집, 콘텐츠 기반 액세스 및 확장성과 같은 새로운 이미지 및 비디오 서비스를 제공하려면 앞서 언급한 방법론을 사용해야 합니다. 이러한 기준에 따라 이미지 및 비디오 처리는 블록 기반 기술에서 객체 기반 기술로 전환되었으며, 여러 가지 다양한 변화가 이루어 졌습니다. 객체 지향 처리는 상당한 유연성을 제공하며, 이는 상호 작용 및 조작과 같은 새로운 콘텐츠 기반 서비스를 만드는 데 필요 합니다. 이와 같은 서비스의 예로는 "웹 서비스"가 있습니다. 동영 상 전문가 그룹은 이러한 목적을 달성하기 위해 시청각 정보의 객 체 기반 인코딩을 허용하는 업계 표준(MPEG)을 만들었습니다. MPEG-4와 MPEG-7은 모두 콘텐츠를 수정, 상호 작용, 편집, 보 관 및 검색하는 측면에서 더 많은 적응성을 제공합니다. 이러한 기 능은 두 포맷 모두에서 제공됩니다.

객체 기반 이미지 및 비디오 처리를 가능하게 하는 데 있어, 장면 을 의미 있는 요소의 모음으로 분해하는 프로세스로 알려진 시맨틱 (의미적) 분할은 필수적인 구성 요소입니다. 이미지 처리 영역에서 사람의 참여나 높은 수준의 지식이 필요하지 않은 완전 자동화된 시맨틱 세그먼테이션의 문제는 여전히 상당 부분 극복되지 않은 과 제입니다. 시맨틱 비디오 세그먼테이션 프로세스에서 움직임의 존재 는 필수적이며, 움직이는 물체의 성공적인 추출은 움직임의 존재 여부에 따라 달라집니다. 반면에 동영상에서 정지된 물체의 시맨틱 분할은 정지된 이미지에서와 마찬가지로 여전히 어려운 과제입니다. 이미지 세분화 프로세스는 일반적으로 가장자리 또는 영역 기반 세분화와 같은 낮은 수준의 세분화로 시작하여 이미지를 가장자리 또는 동질 영역과 같은 기본적이고 기본적인 구성 요소로 분해합니다. 이렇게 하면 일반적으로 더 높은 수준의 세분화인 다음 단계의 프로세스를 위해 이미지가 준비됩니다. 그 이후에는 이미지 세분화를 계속 진행할 수 있습니다.

낮은 수준의 세분화는 데이터의 양을 줄이고 불필요한 정보를 더 간단하게 해석하는 데 도움이 됩니다. 색상, 대비, 광학적 흐름 등과 같이 이미지 인식과 무관한 정보는 제거되고 이미지 인식에 중요한 정보만 추출됩니다. 이 때문에 처리의 다음 단계는 훨씬 더 짧은 시간이 소요됩니다. 그 다음에는 데이터를 분할하는 더 정교한 수준의 처리를 적용하여 시각 자료를 해석합니다. 이 절차에서 가장 어려운 점은 낮은 수준의 품질이 의미 있는 객체로 직접 변환되지 않는다는 사실을 발견하는 것입니다.

인과 관계의 사슬에서 가장 많은 마찰이 발생하는 부분은 이 차이입니다. 하나의 개체가 다양한 그레이스케일 수준, 색상 팔레트, 표면 텍스처, 모션 등을 가질 수 있기 때문입니다. 자동화된 포괄적인 의미론적 세분화는 의미 있는 오브젝트와 낮은 수준의 속성 사이의 격차로 인해 어려운 프로세스입니다. 하지만 불가능한 것은 아닙니다. 세분화를 조사하는 데 상당한 노력을 기울였음에도, 이 문제에 대한 확실한 해결책은 아직 나오지 않았습니다. 권장되는 전략 대부분은 임시방편에 불과하며, 그에 대한 이론적 기반은 없습니다. 또한 세분화는 자체로 만족스럽지 못한 작업입니다. 세분화 문제와 관련된 모든 측면을 처리하기 위한 하나의 솔루션이 없음을 시사합니다. 시맨틱 객체는 단일한 방식으로 지정할 수 없기 때문에 객체를 분리하는 데 사용되는 세분화 기법은 각 애플리케이션마다 고유합니다.

다양한 세분화 알고리즘이 있으며, 각 알고리즘은 특정 상황에 맞게 설계되어 여러 가지 가정을 단순화합니다. 이로 인해 MPEG-4 및 MPEG-7과 같은 객체 기반 처리 표준에 이미지 및 비디오 분할 표준이 개발되지 않았습니다. 패턴 인식, 이미지 분석, 컴퓨터 비전, 콘텐츠 기반 액세스 등 다양한 이미지 및 비디오 처리 애플리케이션에서 세그멘테이션은 중요한 처리 단계입니다. 이러한 애플리케이션은 이미지나 비디오를 구성 요소로 나누는 데 사용됩니다. 최근에는 컴퓨터 네트워크를 통한 다양한 멀티미디어 애플리케이션의 증가가 예상됩니다.

이를 위해서는 객체 기반 처리가 필요합니다. 세분화를 활용할 수 있는 애플리케이션의 범위는 다양하며, 이미지에서 중요한 요소를 추출할 수 있는 유연하고 확장 가능한 이미지 또는 비디오 분할 기법을 제안하는 것이 중요합니다. 이는 중요하고 도전적인 과제로서 엄격한 연구가 필요합니다.

1.2 문제의 진술

의미론적으로 의미 있는 사진 및 비디오 세분화 프로세스는 이미지 및 비디오 처리의 병목 현상으로 알려져 있습니다. 이는 세분화에 많은 시간이 소요된다는 점에서 비롯됩니다. 현재 기술 수준에서 일반적인 이미지나 비디오를 완벽하게 분할하는 것은 현실적이지 않습니다. 그러나 이는 곧 도래할 미래에는 가능해질 것으로 기대됩니다. 이 논문은 이미지와 비디오에 대한 포괄적인 "관심 객체" 추출 처리를 다루며, 이는 낮은 수준과 높은 수준의 세분화 기술을 모두 포함합니다. 현재 사용 가능한 세분화 알고리즘이 여전히 세 가지 연구 영역을 모두 처리하지 못한다는 우려가 있습니다. '관심 대상'을 찾고 해상도 수준의 계층 구조로 세분화하는 확장성은 이 연구의 핵심 원칙입니다. 확장성은 어떤 대상의 근본적인 특성을 바꾸지 않고 크기를 늘리거나 줄일 수 있는 능력으로 정의됩니다.

이에 따라 이 책에서는 다음 세 가지 영역을 중점적으로 다룰 것입니다.

1. 다양한 해상도에서 객체를 추출하는 데 사용할 수 있는 효율적이고 신뢰할 수 있으며 확장 가능한 다중 해상도 세그먼테이션 방법
2. 제거된 사물의 미적 가치 향상
3. 계층적 의미 분할의 성공적인 구현

이 책에서는 제안한 세분화 알고리즘을 확장 가능한 웨이블릿 기반 객체 코딩 알고리즘에 적용하는 데 특별한 주의를 기울였습니다. 그 결과는 일반적인 애플리케이션에 유용하지만, 이는 세분화가 적용되는 애플리케이션에 따라 달라집니다. 또한 네트워크를 통한 정보 배포를 위한 코딩의 중요성이 고려됩니다.

.

- **효과적이고 안정적이며 확장 가능한 세분화**

발표된 연구에 따르면 대부분의 다중 해상도 세그멘테이션 알고리즘은 점진적으로 작동합니다. 즉, 가장 낮은 해상도부터 시작하여 이미지를 분할하며, 그 후로는 높은 해상도로 진행하여 최종 결과물을 얻습니다. 그러나 이 방법에는 몇 가지 결함이 있습니다. 그중 하나는 높은 해상도의 세그먼트가 낮은 해상도보다 더 자세하게 분석된다는 것입니다. 이는 높은 해상도와 낮은 해상도의 맵이 완전히 일치하지 않는다는 것을 의미합니다.

낮은 해상도에서는 특정 항목이 전혀 인식되지 않거나 일부만 감지될 수 있지만, 고해상도에서는 이러한 개별 항목을 전체적으로 식별할 수 있습니다. 그러므로 객체 추출이 필요한 경우 높은 해상도 세그먼트가 더 안정적입니다. 시맨틱 분할과 객체 추출 알고리즘을 사용하여 높은 해상도에서 객체를 추출하고, 낮은 수준의 다중 해상도 분할 알고리즘을 사용하여 계산 복잡성을 줄이며 이미지 구조를 더 잘 포착하며 노이즈에 더 잘 대응할 수 있습니다.

객체 기반 코딩의 공간 확장성 덕분에 다중 해상도 객체 추출을 위한 완전히 새로운 애플리케이션을 설계할 수 있게 되었습니다. 이는 이러한 기술을 확장할 수 있기 때문에 가능했습니다. 확장 가능한 객체 기반 코딩을 사용하면 다양한 처리 능력과 네트워크 대역폭을 가진 여러 사용자에게 단일 코드 스트림을 전송할 수 있습니다. 각 사용자는 코드스트림에서 자신과 관련된 부분만 가져올 수 있기 때문에 가능합니다. 이러한 기술은 신호 대 잡음비(SNR) 개선과 같은 바람직한 확장성 기능의 한 예입니다.

또한 확장 가능한 비트스트림은 신호 대 잡음비, 공간 해상도 향상 또는 프레임 속도 증가를 점진적으로 개선할 수 있는 기능이 내장된 비트스트림입니다. 확장 가능한 오브젝트 기반 인코더/디코더 시스템은 다양한 해상도로 오브젝트 형태를 추출하고 표시할 수 있어야 합니다. 이는 공간 확장성이 가장 많이 요구되는 확장성이기 때문입니다. 공간 확장성은 가장 많이 요청되는 확장성의 한 형태이기 때문입니다. 저해상도의 오브젝트 마스크는 효과적인 웨이블릿 기반 이미지 및 비디오 오브젝트 코딩 알고리즘을 사용할 수 있도록 고해상도의 오브젝트 마스크와 정밀하게 다운샘플링된 동등한 값이어야 합니다. 이렇게 하면 복구된 항목의 형태가 다양한 해상도에서 일관성을 유지하여 비교하기가 더 쉬워집니다.

따라서 다양한 해상도에서 신뢰할 수 있는 분할 맵을 생성할 수 있는 다중 해상도 분할 알고리즘의 개발이 절대적으로 필요합니다. 이러한 목표를 실현하기 위해서는 다중 해상도 분할을 위한 알고리즘 개발이 필요합니다. 이 전략은 낮은 해상도로 높은 해상도를 개선하는 일반적인 프로세스 외에도 낮은 해상도의 세그먼테이션을 높은 해상도의 세그먼테이션으로 개선하는 것이 가능해야 합니다. 이 기준을 만족하는 다중 해상도 세그먼테이션 방법은 지금까지 발표된 연구에서 찾아볼 수 없지만, 앞으로는 다양한 해상도에서 비슷한 세그먼트 패턴을 생성하는 세그먼트 알고리즘을 확장 가능한 세그먼테이션(SSeg) 기법이라고 부를 것입니다. 단일 레벨 이미지 또는 비디오 세그멘테이션은 다양한 해상도에서 셰이프 마스크를 구성하는 과정에서 사용할 수 있는 일반적이고 느슨하게 정의된 선택 중 하나입니다.

이 접근 방식에서는 먼저 가능한 최대 해상도의 세그먼테이션을 사용하여 관심 영역 또는 관심 객체를 추출한 다음 해상도가 낮은 해상도로 다운샘플링합니다. 하지만 이러한 단일 해상도 기법으로는 다중 해상도 확장 가능한 세분화 및 추출 작업의 요구 사항을 충족할 수 없습니다. 그 결과 필요한 계산의 복잡성 감소, 원본에 더 충실한 표현, 이미지 구조 및 노이즈 감도 감소와 같은 다중 해상도 처리의 특성과 이점을 활용할 수 없습니다.

- **추출된 도형의 시각적 품질 향상**

기존 기법은 세분화 절차의 성능을 평가할 때 주로 결과의 통계적 정확성에 중점을 둡니다. 그러나 사례로서 세분화된 항목의 미적 가치나 경계가 잘 정의되어 있는지 여부와 같은 다른 측면은 이 분석에서 무시됩니다. 그럼에도 불구하고 시청자는 세분화된 항목의 시각적 표현 품질에 큰 영향을 받습니다. 예를 들어, 그림 1.5는 두 가지 알고리즘이 추출한 객체를 보여주는데, 하나는 시각적 품질을 평활하게 유지하는 제약 조건을 사용하는 알고리즘이고 다른 하나는 일반적인 영역 기반 비디오 객체 추출 알고리즘입니다. 이 두 알고리즘은 모두 추출된 객체의 시각적 품질을 개선하기 위한 것입니다.

영역이라는 개념은 이 두 가지 방법을 모두 포함합니다. 그러므로 세그멘테이션을 수행하는 알고리즘은 통계적 기준 뿐만 아니라 미적 효과와 품질 요구 사항도 고려해야 합니다. 이 책의 범위 내에서 시각적 품질을 보장하기 위한 노력은 궁극적으로 다중 해상도 세그멘테이션을 포함하여 개선되었습니다. 현재 사용 가능한 기술은 다른 해상도에서 시각적으로 매력적이지 않은 모양을 생성하는 경우가 많기 때문에 이는 필수적입니다.

- **효과적인 계층적 시맨틱 오브젝트 세분화**

일반적인 의미론적 분할은 이미지 처리 연구 커뮤니티에서 여전히
달성하기 어려운 목표로 남아 있습니다. 이 작업은 대부분의 실제
이미지가 다음과 같이 복잡하기 때문입니다.

(a)   (b)

그림1.5 34 프레임에서 홈 모니터 시퀀스 오브젝트 추출: (a)
시각적 품질 제약으로 오브젝트 추출, (b) 일반 알고리즘으로
오브젝트 추출.

결국 우리는 효과적인 시맨틱 오브젝트의 세분화를 위해서 다양한
요소를 사용하고 배경에 많은 것을 제공합니다. 효과적인 작업을
위해 먼저 사진의 전경과 배경 구성 요소를 결정하거나 "관심 대상"
의 크기에 따라 이미지를 검색하는 등 여러 개별 하위 작업으로 세
분화됩니다. 이 프로세스는 글로벌 우선순위 효과(GPE)로 알려진

현상으로, 전체적으로 큰 그림을 먼저 처리한 다음 지역적으로 세밀한 부분을 처리하는 인간 시각 시스템(HVS)의 기본 원리로 보입니다. 다시 말해, 전체적인 항목이 로컬 항목보다 먼저 처리된다는 의미입니다. 시각 정보 처리와 관련하여 글로벌 인식은 로컬 분석보다 먼저 발생합니다. 즉, 글로벌 인식이 우선합니다.

예를 들어, 숲 전체를 관찰한 후 그 안에 있는 개별 나무를 알아차리거나, 자동차를 인식하기 전에 자동차의 창문과 바퀴를 알아차릴 수 있습니다. 이 두 가지 예는 가능합니다. 이는 저주파수와 관련된 시각적 인식 경로가 활성화되는 순서에서 고주파수와 관련된 경로보다 먼저 발생한다는 것을 시사합니다. 인지 및 이해에 가장 효과적인 자연 시각 시스템인 HVS의 속성을 모델링하는 것은 인공 분할과 시각 시스템의 성능을 모두 개선할 수 있는 훌륭한 기술입니다.

따라서 GPE를 모방하고 HVS에서 단서를 얻기 위해 큰 물체를 먼저 검색한 다음 작은 물체를 검색합니다. 이러한 방식으로 검색이 수행됩니다. 객체의 검사 및 처리에 자연스러운 계층 구조가 있을 수 있으며, 이는 의미론적 세분화에 사용되는 방법의 계산 비용을 크게 줄여줍니다. 이는 알고리즘을 보다 효율적으로 사용할 수 있기 때문에 유용합니다. 이미지와 동영상에서 '관심 대상'을 추출하는 알고리즘 중 GPE와 유사한 계층적 검색 방법론은 전혀 연구되지 않았거나 성공적으로 검토되지 않았습니다. 대신, 물체 검색은 동일한 우선순위와 높은 계산 비용으로 세그먼트화된 사진의 가장자리와 영역을 따라 수행됩니다. 이 과정은 여러 번 반복됩니다. 앞서 언급한 세 가지 주제가 여러 해상도를 사용하는 통합 프로세스의 일부로 이 논문에 통합되어 있다는 점에 주목하는 것이 중요합니다. 이것은 특별한 주의가 필요한 부분입니다.

이미지를 2차원 함수로 표현하는 한 가지 접근 방식은 x와 y가 공간 좌표인 $f(x, y)$로 표현할 수 있습니다. 이것은 그림(평면 좌표)에 대해 이야기하는 한 가지 방법입니다. 주어진 공간(평면) 좌표 집합에서 f의 진폭을 이미지의 특정 위치에서 그림의 강도 또는 그레이 레벨이라고 합니다. 이것은 사진의 회색(x, y) 레벨로 생각할 수 있습니다. 사진을 구성하는 모든 부분$(x, y, f$의 진폭 값 등)을 측정하고 서로 구분할 수 있는 경우 디지털 이미지로 간주합니다. 디지털 이미지 처리 영역은 디지털 컴퓨터를 활용하여 디지털 사진의 모양을 수정하는 작업을 수행하는 과정을 말합니다. 이 작업은 여러 가지 방법으로 수행될 수 있습니다.

디지털 사진은 특정 수의 구성 요소로 구성되어 있으며 각 구성 요소는 미리 정해진 위치와 값을 가지고 있다는 점을 명심하는 것이 중요합니다. 이러한 각 부분이 이미지에서 차지하는 위치에 따라 이미지와 관련된 값이 결정됩니다. 그림 요소, 이미지 요소, 화소 및 픽셀은 이러한 구성 요소에 부여된 이름 중 일부입니다. "픽셀"이라는 단어는 디지털 이미지를 구성하는 개별 구성 요소를 지칭할 때 가장 일반적으로 사용되는 단어입니다. "픽셀"은 "사진 요소"의 줄임말이기 때문입니다.

시각이 인간의 감각 중 가장 발달된 감각이라는 사실을 고려할 때, 사진이 인간의 지각에서 가장 중요한 역할을 한다는 것은 놀라운 일이 아닙니다. 반면에 이미징 기술은 감마선부터 무선 주파수까지 거의 모든 전자기 스펙트럼을 캡처할 수 있습니다. 이와는 대조적으로 전자기(EM) 스펙트럼에서 인간이 볼 수 있는 부분은 가시광선 부분뿐입니다. 그들은 대다수의 사람들이 사진과 관련이 없다고 생각하는 출처에서 생산된 사진에 대한 작업을 수행할 수 있습니다. 이 범주에 속하는 많은 기술 중에는 초음파 촬영, 전자 현미경, 컴퓨터 생성 이미지 등이 있으며, 몇 가지 예를 들자면 다음과 같습니다. 그 직접적인 결과로 디지털 이미지 처리는 현재 현대 사회의 광범위한 산업 분야에서 사용되고 있습니다. 이미지 처리에 대한 연구가 끝나고 컴퓨터 비전 및 이미지 분석과 같이 밀접하게 관련된 다른 분야의 연구가 시작되는 정확한 시점은 필자들이 통일된 정의에 동의할 수 없는 주제입니다.

이미지 처리와 이미지에 대한 분석이 이러한 종류의 작업의 두 가지 예입니다. 이미지 처리를 사진이 프로세스의 입력 및 출력으로 사용되는 연구 주제로 정의하면 이미지 처리 연구를 다른 연구 분야와 차별화할 수 있습니다. 사진 처리는 종종 이러한 정의를 사용해야 하는 경우가 많습니다. 우리가 이해하는 바에 따르면, 이는 제한적일 뿐만 아니라 그 구성 방식에 있어서도 상당히 인위적인 장벽을 나타냅니다. 예를 들어, 이 정의에 따르면 이미지의 평균 강도를 계산하는 가장 기본적인 시도(단 하나의 숫자만 산출)조차도 단 하나의 값만 산출하기 때문에 이미지 처리와 관련된 작업으로 간주되지 않습니다.

이미지의 평균 강도는 하나의 숫자에 불과하기 때문입니다.

반면 컴퓨터 과학 분야에는 컴퓨터 비전과 같은 하위 분야가 포함되며, 언젠가 인간의 시각을 시뮬레이션할 수 있는 컴퓨터를 만드는 것이 목표입니다. 이를 위해서는 새로운 정보를 습득하는 것뿐만 아니라 보이는 데이터를 바탕으로 결론을 도출하고 합리적으로 행동하는 능력도 개발해야 합니다. 이 특정 분야는 인간 마음의 모델을 구축하는 것이 주요 목표인 인공 지능(AI)의 천막 아래에서 찾을 수 있는 진정한 주제입니다. 인공 지능(AI)은 포괄적인 용어입니다. 인공 지능(AI) 분야는 아직 성장 초기 단계에 있지만, 한때 예상했던 것보다 발전 속도가 현저히 느립니다. 이미지 처리와 컴퓨터 비전 분야는 서로 직접적인 관련이 있는 것이 아니라 이미지 이해라고도 하는 사진 분석 분야라는 장벽에 의해 구분됩니다.

한쪽 끝의 이미지 처리에서 다른 쪽 끝의 컴퓨터 비전으로 이어지는 연속체를 따라 그 연속체를 따라 어디에서나 찾을 수 있는 명확한 한계는 없습니다. 이미지 처리는 이 연속체의 양 끝에 있는 것으로 생각할 수 있습니다. 반면에 매우 유용할 수 있는 한 가지 패러다임은 이 연속체를 따라 낮은 수준의 프로세스, 중간 수준의 프로세스, 높은 수준의 활동이라는 세 가지 수준의 컴퓨터화된 프로세스를 생각하는 것입니다. 이는 가장 기본적인 것에서 가장 복잡한 것으로 발전하는 것입니다. 이미지 전처리, 대비 향상, 이미지 선명화 등의 기술을 사용하여 사진의 노이즈를 줄이는 것은 저수준 프로세스의 예입니다. 원시 연산은 저수준 프로세스에서 찾을 수 있는 한 가지 예입니다.

로우레벨 프로세스는 사진을 입력으로 받아 출력으로 이미지를 생성한다는 점이 상위 레벨 프로세스와 구분되는 특징 중 하나입니다. 이것이 상위 레벨 프로세스와 구분되는 특징 중 하나입니다. 이미지의 중간 수준 처리에는 이미지를 영역 또는 객체로 분할하는 과정인 분할, 컴퓨터 처리에 적합한 형태로 줄이기 위해 객체를 설명하는 설명, 개별 객체를 인식하는 과정인 분류 작업이 포함됩니다. 세그멘테이션은 이미지를 영역 또는 객체로 분할하고 컴퓨터 처리에 적합한 형태로 축소하기 위해 해당 객체를 설명하는 프로세스입니다. 대부분의 경우 하위 수준의 프로세스의 결과는 상위 수준의 프로세스를 완료하는 데 필요합니다. 이는 상위 수준의 프로세스가 하위 수준의 프로세스를 기반으로 구축되기 때문입니다.

사진에서 추상화된 특징(예: 가장자리, 윤곽선, 개별 물체의 정체성 등)을 추출하여 제공하는 결과입니다. 더 높은 수준의 처리에는 이미지 분석에서와 같이 인식된 객체의 앙상블에 대한 '의미 생성'과 그 연속체의 극단적인 끝에서 종종 시각과 연결된 인지 작업을 수행하는 것이 포함됩니다. 이미지 처리는 이러한 종류의 기술의 한 예입니다. 또한 상위 수준의 처리에는 단일 객체 식별과 같은 이미지에서 속성을 추출하는 기술부터 전체 장면 인식까지 포함됩니다.

이는 아주 작은 세부 사항부터 가장 넓은 파노라마까지 모든 곳에서 발생할 수 있습니다. 결론적으로, 더 높은 수준의 처리를 위해서는 종종 시각과 관련된 정신 활동에 참여해야 합니다. 이러한 활동은 세 가지 범주로 나눌 수 있습니다.

예를 들어, 이러한 개념을 보다 이해하기 쉽게 표현하는 데 도움이 되는 간단한 예로 컴퓨터 지원 텍스트 분석 분야를 생각해 보겠습니다. 이 단계에는 텍스트가 포함된 페이지 영역의 이미지를 획득하고, 해당 이미지에 대한 예비 처리를 수행하고, 개별 문자를 분리(세그먼트화)하고, 컴퓨터 처리에 적합한 형식으로 문자를 설명하고, 개별 문자를 인식하는 절차가 포함됩니다. 이 단계 다음에 개별 문자를 인식하는 단계가 이어집니다. 이러한 개별 문자를 각각 인식하는 것은 이 단계에 포함되는 추가 단계이며, 디지털 이미지 처리라고 부르는 범위입니다.

• **디지털 이미지 표현:**

디지털 사진의 표현은 크게 두 가지 방법을 중심으로 살펴볼 것입니다. 좌표 $f(x, y)$를 가진 사진을 샘플링하여 행과 열의 크기가 M이고 크기가 N인 디지털 이미지를 생성한다고 가정해 보겠습니다. 생성된 이미지는 이러한 치수를 갖습니다. 이제 개별 정수가 있으므로 좌표 (x, y)의 값을 조사할 수 있습니다. 표기법의 단순성과 가독성을 위해 이러한 불연속 좌표에 정수값을 사용하겠습니다. 이렇게 하면 처리하기가 훨씬 덜 어려워집니다. 그 결과 우리가 시작할 위치의 좌표값은 다음과 같습니다: (x, y) = (0, 0). (0, 0).

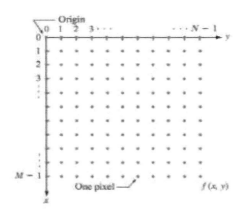

그림1.6 디지털 이미지를 표현하는 데
사용되는 좌표법

(x, y) 표기법은 이미지의 맨 위 행을 따라 나타나는 다음 좌표 값 집합을 나타냅니다. 이 값은 왼쪽에서 오른쪽으로 흐릅니다. (0, 1). (0, 1) 표기법은 첫 번째 행을 따라 나타나는 두 번째 샘플을 나타낸다는 점을 명심해야 합니다. 이것이 명심해야 할 가장 중요한 사항입니다. 따라서 이 점을 명심하는 것이 매우 중요합니다. 이 숫자가 이미지를 촬영한 순간의 정확한 물리적 좌표를 나타내는 것은

아니며, 단지 이 위치에서 샘플링되었다는 것을 나타냅니다. 그림 1
은 당면한 문제에 사용된 좌표 규칙을 보여줍니다.

앞 단락에서 소개한 표기법을 사용하면 전체 M*N 디지털 이미지를
다음과 같은 간결한 매트릭스 형식으로 작성할 수 있습니다.

$$f(x,y) = \begin{bmatrix} f(0,0) & f(0,1) & ... & f(0,N-1) \\ f(1,0) & f(1,1) & ... & f(1,N-1) \\ \vdots & \vdots & & \vdots \\ f(M-1,0) & f(M-1,1) & ... & f(M-1,N-1) \end{bmatrix}$$

이 방정식의 오른쪽에서 얻는 해는 항상 디지털 이미지입니다. 다
른 가능한 응답은 없습니다. 이 행렬 배열의 구성 요소는 각각 이
미지 요소, 그림 요소, 픽셀 요소, 픽셀 요소 등 다양한 이름으로
불립니다.

사진 촬영은 그림 1.6에 표시된 프로세스의 첫 번째 단계입니다.
촬영 과정은 이미 디지털 형식으로 변환된 이미지를 가져오는 것
이상으로 어렵지 않을 수 있다는 점을 염두에 두어야 합니다. 스케
일링은 이미지가 캡처되는 단계 이전에 발생하는 전처리 단계의 일
부로 수행되는 경우가 많습니다.

이미지 보정 절차는 디지털 이미지 처리 방법 중 하나로서 간편할 뿐만 아니라 심미적으로도 매력적입니다. 이미지 향상 기술은 가장 기본적인 의미에서 숨겨져 있던 요소를 끌어내거나 단순히 사진의 특정 부분을 강조하기 위해 사용됩니다. 이 두 가지 목표는 궁극적으로 같은 목적을 달성하기 위한 것입니다. 대부분의 사람들은 사진의 대비를 높여 "더 멋지게 보이게" 하는 것으로 알려진 보정 효과의 일반적인 예에 익숙합니다. 따라서 보정 작업은 이미지 처리에서 매우 주관적인 부분이라는 점을 명심하는 것이 매우 중요합니다. 그렇게 하면 합리적인 기대치를 유지하는 데 도움이 됩니다.

이미지 복원은 이와 같은 어려움을 연구하는 분야로, 주요 초점 중 하나는 사진의 외관을 개선하는 것입니다. 반면에 사진 향상은 객관적인 프로세스인 이미지 복원과 비교하여 개인적인 해석에 더 많이 의존하는 절차입니다. 주관적인 사진 개선 방법과 달리 객관적인 이미지 복원 절차는 종종 이미지 열화에 대한 수학적 또는 확률적 모델에 기초를 두고 있습니다. 다른 한편으로, 증강은 향상 자체의 측면에서 "좋은" 결과를 구성하는 것에 대한 인간의 주관적인 선호도에 영향을 받기 쉽습니다.

컬러 사진의 처리는 생산되는 컬러 사진의 양이 크게 증가함에 따라 그 중요성이 커지고 있는 영역입니다.

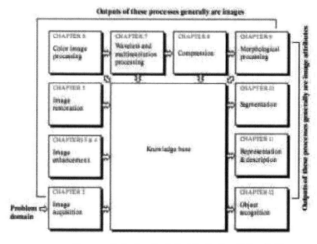

그림1.7 디지털 이미지 처리의 기본 단계

다양한 세분화에 걸쳐 이미지를 표시하려면 이를 가능하게 하는 기본 구성 요소인 웨이블릿이 필요합니다. "압축"이라는 단어는 이미지를 저장하는 데 필요한 공간과 이미지를 전송하는 데 필요한 대역폭의 양을 줄이기 위한 일련의 기술을 의미합니다. 이러한 기술은 "압축"이라는 이름으로 함께 그룹화됩니다. 지난 10년 동안 스토리지 기술이 크게 발전했음에도 불구하고 전송 시스템의 용량은 그에 상응하는 증가를 이루지 못했습니다.

이러한 현상은 온라인 게임이나 사진 공유와 같이 풍부한 그래픽 콘텐츠가 특징인 인터넷 애플리케이션에서 특히 두드러집니다. 컴퓨터를 사용하는 대다수의 사람들은 이미지 파일 확장자 형태의 사진 압축에 이미 익숙할 것입니다. 한 가지 예로 JPEG(Joint Photographic Experts Group) 이미지 압축 표준에 사용되는 jpg 파일 확장자를 들 수 있습니다. 사용자가 우연히 이 작업을 수행했을 수도 있습니다. 형태 처리 연구는 형태의 표현과 특성화에 사용될 수 있는 이미지 구성 요소를 추출하기 위한 기술과 프로그램을 만드는 데 중점을 둡니다. 이것은 이 분야의 주요 관심사 중 하나입니다.

세분화 프로세스는 이미지를 개별적인 섹션이나 객체로 생각할 수 있는 구성 요소로 분해합니다. 자동 분할 프로세스는 디지털 이미지 처리에서 가장 큰 난제를 안고 있는 작업 중 하나라는 데 널리 동의하고 있습니다. 뚜렷한 물체를 식별해야 하는 이미징 문제에 직면했을 때 강력한 세분화 접근 방식을 사용하는 기술은 성공적인 해결에 큰 도움이 됩니다. 반면에 너무 비효율적이거나 너무 예상치 못한 세분화 알고리즘은 거의 항상 실패를 보장합니다. 세분화가 수행되는 정밀도는 인식에 성공하는 사례의 비율과 직접적인 관련이 있습니다.

세분화 단계의 출력은 종종 원시 픽셀 데이터로, 영역의 경계(즉, 한 이미지 영역을 다른 영역으로 나누는 픽셀 모음) 또는 영역 자체의 모든 점을 형성합니다. 세분화 단계는 이미지 처리에서 자주 사용됩니다. 각 세분화 단계의 결과물은 거의 대부분 후속 표현 및 설명 단계로 이어집니다. 어떤 경우든 데이터를 처리하기 위해서는 컴퓨터 시스템이 읽고 이해할 수 있는 구조로 데이터를 재구성해야 합니다. 가장 먼저 결정해야 할 사항은 데이터를 경계 형태로 표시할지, 아니면 전체 영역 형태로 표시할지 여부입니다.

경계 표현은 모서리와 굴곡과 같은 양식의 외형적 특성에 중점을 두어야 할 때 활용해야 하는 표현입니다. 텍스처나 골격 구조의 지오메트리와 같이 항목의 내부 속성에 중점을 두는 상황에서는 지역 표현을 사용하는 것이 적절합니다. 각기 다른 설정에 적용하면 이러한 각 묘사는 다른 설정을 보완하는 고유한 무언가를 테이블에 가져옵니다.

원시 데이터를 추후 컴퓨터 처리에 적합한 형태로 변환할 때, 표현을 선택하는 것은 퍼즐의 한 조각에 불과합니다. 이 외에도 관심 있는 측면을 논의의 전면에 내세울 수 있는 방식으로 데이터를 설명하기 위한 계획이 제시되어야 합니다. 특징 선택이라고도 하는 설명 프로세스에는 관심 있는 정량적 정보를 제공하거나 한 클래스의 객체를 다른 클래스와 구별하는 데 기본이 되는 특성을 추출하는 작업이 포함됩니다. 특징 선택은 설명 프로세스의 다른 이름입니다. 설명은 특징 선택이라고도 합니다.

객체를 특징짓는 설명자를 기반으로 객체(예: '자동차')에 레이블(예: '차량')을 할당하는 행위를 인식 프로세스라고 합니다. 특정 물체를 식별하는 알고리즘의 개발로 디지털 이미지 처리에 대한 이야기는 끝이 납니다.

- **화상 처리 시스템의 구성 요소:**

1980년대 중반까지만 해도 전 세계에서 구매할 수 있었던 화상 처리 시스템의 대부분은 비슷한 크기의 호스트 컴퓨터에 연결되는 상당히 큰 주변 장치였습니다. 당시에는 이런 종류의 화상 처리 시스템만이 상업적으로 이용 가능한 유일한 제품이었습니다. 1980년대 말과 1990년대 초에 접어들면서 단일 보드 형태의 화상 처리 하드웨어에 대한 소비자 수요가 변화하기 시작했습니다. 이러한 보드는 업계 표준 버스와 호환되고 개인용 컴퓨터뿐만 아니라 엔지니어링 워크스테이션의 캐비닛에도 장착할 수 있도록 설계되었습니다. 이러한 시장의 변화는 비용 절감이라는 추가적인 효과를 가져왔을 뿐만 아니라, 화상 처리 목적에 맞게 맞춤화된 소프트웨어 생산에 주력하는 수많은 신규 기업의 설립을 촉진하는 촉매제 역할을 했습니다.

위성 이미지 처리와 같은 대규모 이미징 애플리케이션을 위한 대규모 이미지 처리 시스템이 여전히 판매되고 있지만, 범용 소형 컴퓨터와 특수 이미지 처리 하드웨어의 소형화 및 혼합 추세는 계속되고 있습니다. 대규모 이미징 애플리케이션을 위한 대규모 이미지 처리 시스템이 여전히 판매되고 있음에도 불구하고 말입니다. 그럼에도 불구하고 대규모 화상 처리 시스템은 여전히 많은 대규모 이미징 애플리케이션에 사용되고 있습니다. 그림 3은 디지털 이미지 처리에 사용되는 일반적인 범용 컴퓨터 시스템을 구성하는 주요 구성 요소를 보여줍니다. 이러한 구성 요소에는 다음이 포함됩니다: 다음 단락에서는 "이미지 감지"부터 시작하여 각 구성 요소의 기능을 차례로 분석해 보겠습니다.

이미지 센싱과 관련해서는 디지털 사진을 촬영하기 전에 두 가지 구성 요소가 있어야 합니다. 첫 번째는 우리가 마음속에 이미지화하고자 하는 대상에서 방출되는 에너지에 민감한 물리적 장치입니다. 사진 촬영은 이러한 성격의 장치에서 가능한 용도 중 하나입니다. 디지타이저라고도 하는 두 번째 구성 요소는 물리적 감지 장치의 아날로그 출력을 이와 유사한 디지털 표현으로 변환하는 역할을 하는 하드웨어입니다. 예를 들어, 디지털 비디오 카메라의 센서에 떨어지는 빛의 양은 그 양에 비례하는 전기적 출력을 생성하게 됩니다. 디지타이저는 이러한 출력을 처리한 후 디지털 데이터로 변환합니다.

방금 설명한 디지타이저는 다른 기본 작업을 수행하기 위한 다른 구성 요소와 함께 이미지 처리 목적으로 특별히 제작된 하드웨어에 포함되는 경우가 많습니다. 전체 사진에 대해 논리 및 수학 연산을 병렬로 수행하는 산술 논리 장치(ALU)가 이러한 종류의 구성 요소의 예입니다. 노이즈를 줄이기 위해 디지털화된 사진을 빠르게 평균화하여 원하는 결과를 얻기 위해 이미지를 스캔하자마자 이 작업을 수행하는 것이 ALU의 한 가지 용도입니다. 이러한 종류의 하드웨어는 일반적으로 속도가 다른 유형과 가장 구분되는 특성이기 때문에 프론트 엔드 하위 시스템이라고 합니다. 다시 말해, 자주 사용되는 메인 컴퓨터가 수행할 수 없는 빠른 데이터 흐름 속도(예: 초당 30프레임의 비디오 이미지 디지털화 및 평균화)가 필요한 작업을 수행하는 것이 이 구성 요소의 책임입니다.

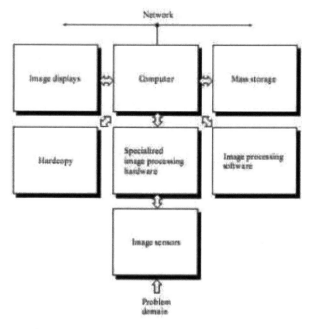

그림1.9. 일반용 화상 처리 시스템의 구성 요소

이미지 처리 시스템에 사용되는 컴퓨터는 개인용 컴퓨터(PC)에서 슈퍼컴퓨터에 이르기까지 다양한 범용 컴퓨터입니다. 이미지 처리 시스템은 매우 복잡합니다. 특수한 애플리케이션에서는 필요한 수준의 속도를 달성하기 위해 특별히 제작된 컴퓨터를 사용해야 하는 경우가 많지만, 이 논의에서는 다양한 용도로 사용할 수 있는 화상 처리 시스템에 중점을 둘 것입니다. 오프라인 이미지 처리 작업은 작업에 맞게 적절하게 준비되어 있다면 거의 모든 개인용 컴퓨터 유형에서 수행할 수 있습니다.

사용하는 화상 처리 소프트웨어는 수많은 특수 모듈로 구성되어 있으며, 각 모듈은 고유한 개별 작업을 수행합니다. 신중하게 구축된 패키지는 최종 사용자에게 최소한 특수 모듈을 사용하는 코드를 작성할 수 있는 기능을 제공합니다. 이러한 가능성은 패키지를 통해 최종 사용자에게 제공됩니다. 최첨단 소프트웨어 패키지는 현재 사용 중인 여러 컴퓨터 언어 중 하나 이상으로 만들어진 범용 소프트웨어의 명령과 모듈을 포함할 수 있는 기능을 사용자에게 제공합니다.

상당한 양의 저장 공간에 액세스할 수 있는 기능은 이미지 처리를 수행하는 애플리케이션에 반드시 필요합니다. 이미지의 크기가 1024×1024픽셀에 불과하고 각 픽셀의 강도가 8비트 값으로 표시되더라도 사진을 압축 포맷으로 저장하지 않으면 1메가바이트의 저장 공간을 차지하게 됩니다. 수백 또는 수백만 장의 사진을 처리할 때 이미지 처리 시스템이 모든 이미지를 저장할 수 있는 충분한 용량을 확보하고 있는지 확인하기 어려울 수 있습니다. 이는 RAW 포맷을 사용하는 이미지 처리 시스템으로 작업할 때 문제가 될 수 있습니다. 화상 처리 애플리케이션에 적용할 수 있는 디지털 스토리지의 주요 형태는 (1) 처리 단계에서 활용되는 단기 스토리지, (2) 비교적 빠르게 다시 불러올 수 있는 온라인 스토리지, (3) 드물게 액세스하는 아카이브 스토리지로 구분되며, 이 세 가지 유형의 스토리지에 대해 아래에 설명되어 있습니다. (1) 처리 단계에서 당사는 짧은 기간 동안 스토리지를 사용합니다.

저장 장치의 용량은 8비트로 구성된 바이트, 1,000바이트를 포함하는 킬로바이트, 100만 바이트를 포함하는 메가바이트, 10억 바이트를 포함하는 기가바이트, 1조 바이트를 포함하는 테라바이트(테라 또는 1조 바이트를 의미)로 측정됩니다. 비교적 짧은 시간 동안 스토리지를 제공하는 한 가지 방법은 컴퓨터 메모리를 사용하는 것입니다. 하나 이상의 사진을 저장할 수 있고 비디오 속도로 빠르게 액세스할 수 있는 프레임 버퍼라고 하는 특수 보드를 사용하는 것도 또 다른 방법입니다(예: 초당 30장의 완전한 이미지). 후자의 방법을 사용하면 이미지를 매우 즉각적으로 확대할 수 있을 뿐만 아니라 스크롤(세로 변경) 및 패닝(가로 이동)도 가능합니다.

그림 3에서 볼 수 있는 이미지 처리를 위한 특수 하드웨어 유닛은 일반적으로 프레임 버퍼가 보관되는 곳입니다. 온라인에 유지되는

정보는 경우에 따라 자기 디스크나 광학 미디어에 저장될 수도 있지만, 대부분의 경우 온라인에 유지됩니다. 온라인 스토리지는 작동 방식 때문에 보관 중인 데이터에 자주 액세스할 수 있다는 특징이 있습니다. 마지막으로, 아카이브 스토리지는 다른 유형의 스토리지와 달리 액세스 요구 사항이 빈번하지 않음에도 불구하고 매우 많은 양의 저장 공간이 필요하다는 특징이 있습니다.

대부분의 아카이브 애플리케이션은 아카이브 데이터를 저장하는 가장 보편적인 형태의 미디어로 '주크박스'에 보관된 자기 테이프와 광 디스크를 사용합니다. 현대에 사용되는 대부분의 영상 디스플레이는 컬러 텔레비전 모니터이며, 이러한 디스플레이 중 가장 이상적인 디스플레이는 평면 스크린입니다. 컴퓨터의 전체 디자인에서 중요한 구성 요소인 이미지 및 그래픽 디스플레이 카드의 출력은 컴퓨터에 연결된 모니터를 제어합니다. 이미지 프레젠테이션을 다루는 프로그램에서 컴퓨터 시스템의 필수 구성 요소로 쉽게 구입할 수 있는 디스플레이 카드로는 충족할 수 없는 요구 사항이 매우 드뭅니다. 어떤 상황에서는 스테레오 디스플레이가 반드시 필요하며, 이러한 디스플레이를 만드는 방법은 고글에 포함된 두 개의 작은 화면이 있는 사용자가 착용하는 헤드기어 형태입니다. 이 헤드기어를 스테레오 디스플레이 헤드기어라고 합니다. 하드카피 기록 장치에는 레이저 프린터, 필름 카메라, 열에 민감한 장치, 잉크젯 장치, CD-ROM 디스크 및 광디스크와 같은 디지털 장치 등이 포함됩니다.

모두가 사진을 찍을 수 있습니다. 종이는 필름보다 전통적인 느낌이 강하기 때문에 문서 자료로 활용해야 하는 매체입니다. 그러나 필름은 가장 높은 해상도를 구현할 수 있는 잠재력을 가지고 있습니다. 프레젠테이션을 할 때, 이미지 영사 장비의 사용 여부에 따라 필름 투명 필름이나 디지털 형식으로 사진을 전시하는 경우가 많습니다. 경우에 따라서는 필름과 디지털 포맷을 모두 사용하기도 합니다. 후자의 전략은 업계 전반에서 사진 전시의 표준으로 채택될 유력한 후보로 빠르게 주목받고 있습니다.

오늘날의 컴퓨터 환경에는 네트워킹이 널리 퍼져 있기 때문에 사실상 표준으로 간주되는 기능이라고 주장할 수 있습니다. 사진을 전송할 때 고려해야 할 가장 중요한 요소는 사용 가능한 대역폭의 양입니다. 이미지 처리 소프트웨어는 그 특성상 엄청난 양의 데이터를 생성하기 때문입니다. 전용 네트워크 내에서는 문제가 되지 않는 경우가 많지만, 인터넷을 통해 원격지와의 연결이 항상 원활하게 이루어지는 것은 아닙니다. 전용 네트워크는 일반적으로 이러한 문제가 없습니다. 광섬유 및 기타 광대역 기술의 사용으로 인해 이러한 상황은 그 결합 효과로 인해 환영할 만한 속도로 개선되었습니다.

• **시각적 인식의 요소:**

디지털 이미지 처리 분야는 수학적 및 통계적 공식을 기반으로 하지만, 인간의 직관과 분석은 한 접근 방식을 다른 접근 방식으로 선택하는 데 중요한 역할을 하며, 이러한 결정은 종종 주관적이고 시각적인 판단에 따라 이루어집니다. 디지털 이미지 처리가 수학적, 통계적 공식을 기반으로 구축되었음에도 불구하고 이러한 결정은 종종 주관적이고 시각적인 판단에 따라 이루어집니다.

인간의 눈: 그 기능과 구성 요소에 대한 구조적 분석

그림 1.10은 사람의 눈을 보다 쉽게 이해할 수 있도록 수평 단면을 단순화하여 표현한 것입니다. 사람의 눈은 구의 형태에 매우 가깝고 지름은 일반적으로 평균 20mm 정도입니다. 각막, 공막, 맥락막, 망막은 눈을 둘러싸고 있는 세 개의 막입니다. 각막과 공막으로 구성된 바깥쪽 덮개는 눈을 감싸고 있습니다. 각막은 눈의 앞쪽 층을 덮고 있는 단단한 조직 층으로 투명합니다. "전층"이라는 용어는 눈의 이 특정 층을 지칭합니다. 공막은 각막과 연속된 불투명한 막

으로 시신경의 나머지 부분을 둘러싸고 있습니다. 공막과 각막은 모두 안구의 일부로 간주됩니다. 공막은 눈의 후방에 위치합니다.

맥락막은 공막 바로 아래와 그 주변에서 발견될 수 있습니다. 이 막에는 눈에 영양을 공급하는 주요 역할을 하는 혈관 네트워크가 있습니다. 이러한 혈관은 망막 내부에서 볼 수 있습니다. 맥락막에 약간의 상처나 긁힘이 있어도 대수롭지 않게 여기는 경우가 많지만, 염증을 일으켜 혈류를 제한하기 때문에 눈에 심각한 손상을 일으킬 수 있습니다.

이로 인해 눈에 심각한 손상이 발생할 수 있습니다. 맥락막에는 상당한 양의 색소가 포함되어 있기 때문에 눈에 들어오는 외부 빛의 양과 광학계 내부에서 반사되는 빛의 양을 줄이는 데 도움을 줄 수 있습니다. 이는 빛의 일부를 흡수하는 데 도움을 줌으로써 이루어집니다. 섬모체와 홍채 조리막은 모두 맥락막이 눈의 가장 앞쪽 위치에서 각각의 반으로 분리될 때 형성됩니다. 이 지점이 홍채의 시작을 나타냅니다. 망막에 도달하는 빛의 양은 섬모체에 의해 조절될 수 있으며, 섬모체는 망막에 도달하는 빛의 양을 줄이거나 늘릴 수 있습니다.

동공으로 알려진 홍채 중앙에 있는 구멍의 직경은 개인에 따라 약 2밀리미터에서 8밀리미터까지 다양합니다. 육안으로 가장 잘 보이는 홍채 부분에는 눈에 보이는 색소가 들어 있는 반면, 홍채의 뒤쪽에는 색조가 어두운 색소가 들어 있습니다.

수정체는 섬모체에 연결된 섬유에 의해 적절한 위치에 유지됩니다. 섬모체는 동심원 패턴으로 조직된 섬유 세포 층으로 구성되어 있습니다. 섬모체는 6070%의 수분, 67%의 지방, 눈의 다른 어떤 조직보다 많은 단백질로 구성되어 있습니다. 나이가 들수록 색소 침착이 심해지기 때문에 수정체는 노란색과 주황색 사이의 색을 띠게 됩니다. 극단적인 경우 백내장이라는 질환으로 인해 수정체가 과도하게 혼탁해지면 선명한 시력을 잃을 수 있을 뿐만 아니라 색을 구분하는 능력도 저하될 수 있습니다. 백내장은 노화 과정에 영향을 미치는 질환으로 더 잘 알려져 있습니다.

렌즈는 가시광선 스펙트럼의 약 8%를 흡수하며, 더 짧은 파장에서 훨씬 더 많은 양의 흡수가 이루어집니다. 이 비율은 평균 흡수 수준보다 훨씬 높습니다. 적외선과 자외선 모두 충분히 많은 양에 노출될 경우 눈에 손상을 줄 수 있습니다. 수정체 구조 내부에 존재하는 단백질은 두 가지 유형의 방사선을 상당량 흡수할 수 있는 능력이 있습니다.

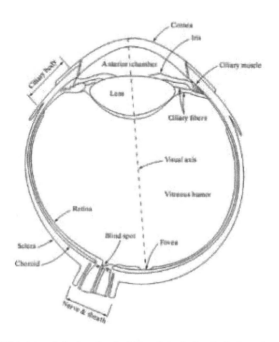

그림1.10 사람 눈의 단면을 단순화한 다이어그램.

망막은 눈의 가장 안쪽에 위치하며, 눈의 뒤쪽을 안쪽으로 감싸고 있습니다. 눈이 적절히 초점을 맞추면 망막에 들어오는 빛이 상이 하게 맺힙니다. 망막 표면에는 뚜렷한 광 수용체가 분포하며, 이는 일종의 시력 패턴을 얻을 수 있게 합니다. 이 중 원추형과 막대형 은 두 가지 주요 수용체 유형입니다. 각 눈에는 약 600만에서 700

만 개의 원추체가 있습니다.

원추체는 주로 눈 중앙에 있는 망막의 중심부에서 발견되며, 색에 매우 민감합니다. 각 원추체는 고유한 신경 말단에 연결되어 있어 인간은 매우 미세한 부분까지 식별할 수 있습니다. 눈을 조절하는 근육은 관심 있는 물체의 중심에 초점을 맞출 수 있도록 눈을 회전시킵니다. 원추체의 시력을 광시 또는 강한 빛에서의 시력이라고 합니다. 막대의 수는 훨씬 더 많습니다. 망막 표면에는 7500만 개에서 1억 5천만 개의 막대가 있습니다.

이러한 수용체는 광범위하게 분산되어 있을 뿐만 아니라 하나의 신경 단자에 여러 개의 막대가 부착되어 있기 때문에 이러한 수용체가 구별할 수 있는 디테일의 정도는 감소합니다. 막대의 목적은 시야 영역에 대한 전반적이고 일반화된 이미지를 제공하는 것입니다. 그들은 색을 보는 능력에 기여하지 않으며 희미한 빛에 대한 반응이 높아집니다. 예를 들어, 달빛 아래에서 보면 낮에 선명한 색을 띠는 것처럼 보이는 사물이 무색의 모양으로 보입니다. 이는 달빛에 의해 막대만 활성화되기 때문입니다. 희미한 빛에 의한 시력이라고도 하는 야광시란 이러한 현상에 대해 붙여진 이름입니다.

눈에서 발달한 이미지 구조:

일반적인 광학 렌즈는 딱딱하지만 눈의 수정체는 유연합니다. 이것은 두 렌즈의 주요 차이점입니다. 그림 4.1에서 볼 수 있듯이 렌즈의 앞면 곡률 반경은 뒷면 곡률 반경보다 더 큽니다. 이는 렌즈의 앞면이 동공에 더 가깝기 때문입니다. 섬모체를 구성하는 섬유의 장력 수준에 따라 렌즈의 곡률이 결정됩니다. 수정체를 조절하는 근육은 수정체를 다소 평평하게 만들어 먼 곳에 있는 사물에 집중할 수 있도록 합니다. 비슷한 방식으로, 이러한 근육은 수정체를 두껍게 만들어 눈에 가까운 곳에 있는 사물에 초점을 맞출 수 있도록 합니다. 수정체의 굴절력이 최저에서 최대로 높아지면 초점 거리로 알려진 거리가 약 17밀리미터에서 약 14밀리미터로 이동합니다. 수정체 중심과 망막 사이의 거리를 초점 거리라고 하기 때문에 이런 현상이 발생합니다.

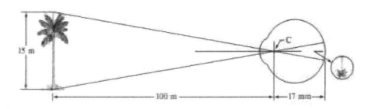

그림 11 야자수를 바라보는 눈의 그래픽 표현인 점C는
렌즈의 광학 중심을 표현함

약 3미터 이상 떨어진 물체에 초점을 맞추기 위해 렌즈를 사용하면 거리가 증가하기 때문에 빛을 굴절시키는 렌즈의 능력이 감소합니다. 이는 렌즈의 초점 거리가 감소하기 때문입니다.

사람의 눈이 상당히 가까운 물체에 초점을 맞출 때, 눈의 수정체는 생각할 수 있는 가장 강력한 굴절 방식으로 작용합니다. 이는 초점을 맞추고 있는 물체가 상대적으로 눈에 가깝기 때문입니다. 이 정보를 사용하여 특정 물체의 망막 그림의 크기를 추정하는 것은 합리적인 수준의 간단한 절차로 수행할 수 있는 기본 절차입니다. 예를 들어, 그림 4.2의 관찰자는 높이가 15미터인 나무에서 100미터 떨어진 곳에 있습니다.

그림의 전경에 이와 같은 나무가 보일 수 있습니다. 그림 4.2에 표시된 기하학적 구조를 사용하여 망막 사진의 물체의 높이가 2.55밀리미터라는 것을 확인할 수 있습니다. 이것이 우리가 내린 결론입니다. 이는 h가 밀리미터로 표시된 항목의 높이를 나타내기 때문입니다. 망막에서 중심와로 알려진 부분은 망막에 의해 포착되는 그림의 압도적인 대부분을 반사하는 망막의 일부입니다. 사물을 보는 과정의 두 번째 단계는 빛 수용체의 상대적 활성화이며, 이는 세 가지 범주로 나눌 수 있습니다: 사물을 보기 전에 가장 먼저 일어나야 하는 일은 이 작업을 수행하는 것입니다. 이 수용체는 방사선을 전기 자극으로 변환한 다음 뇌에서 해독하는 역할을 합니다.

밝기 차이를 인식하고 조정하는 행위:

이미지 처리 결과를 발표할 때는 다양한 강도를 구별하는 인간의 눈의 능력을 고려하는 것이 중요합니다. 이는 디지털 이미지가 각각 고유한 강도의 집합으로 표시되기 때문입니다. 인간의 시각 시스템은 스코토픽 임계값부터 눈부심 한계까지 매우 넓은 범위의 빛의 강도에 적응할 수 있습니다. 이 빛의 강도 범위를 인간의 시각적 동적 범위 (약 10^{10} 정도)라고 합니다. 스코토픽 한계값은 이 범위의 시작점 역할을 합니다.

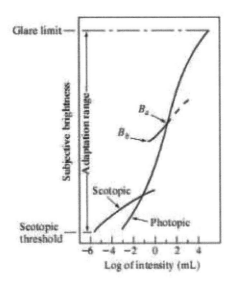

그림12 특정 적응 수준을 나타내는 주관적
밝기 감각의 범위

여러 가지 실험 결과에 따르면, 물체의 주관적 밝기는 인간의 시각 시스템에 의해 보이는 밝기라고도 하며, 눈에 입사되는 빛의 강도의 로그 함수입니다. 이는 여러 테스트를 통해 밝혀졌습니다. 이 품질은 그림 4.3에 그래픽으로 표시되어 있으며, 이 그림은 인지된 밝기에 대한 빛의 강도를 서로 비교하여 나타낸 것입니다. 이 이미지는 두 변수 사이의 연관성을 명확하게 보여줍니다. 길고 연속적인 곡선은 인간의 시각 시스템이 다양한 강도에 어떻게 적응할 수 있는지를 보여줍니다.

이는 곡선이 길다는 사실로 알 수 있습니다. 광시만 고려할 때 그 범위는 10^6 부근에 있습니다. 적응 곡선이 사시에서 광시로의 범위에서 두 갈래로 나뉘는 것은 사시에서 광시로의 전환이 대략 0.001에서 0.1 밀리암퍼트의 범위에서 점진적으로 일어난다는 사실을 나타냅니다. 이는 스카토픽 시야에서 포토픽 시야로의 전환이 이 범위 전체 (로그 눈금에서 -3에서 -1mL)에 걸쳐 일어나기 때문입니다.

그림에 묘사된 인상적인 다이나믹 레인지를 이해하려고 할 때 명심해야 할 가장 중요한 점은 인간의 시각 시스템은 이렇게 넓은 범위에서 동시에 작동할 수 없다는 것입니다. 이것이 명심해야 할 가장 중요한 요소입니다. 대신 밝기 적응이라고 하는 일반적인 감도 변화의 결과로 이 거대한 범위를 만들 수 있습니다. 이는 바로 이렇게 큰 범위를 생성할 수 있는 방법입니다. 전체 적응 범위와 비교할 때, 동시에 식별할 수 있는 다양한 강도 수준의 총 범위는 상대적으로 작습니다. 이는 적응 범위가 너무 넓기 때문입니다. 시각 시스템의 현재 감도 레벨을 밝기 적응 레벨이라고 하며, 예를 들어 그림에서 밝기 Ba에 해당할 수 있습니다.

이 레벨은 종종 대비 적응 레벨이라고도 합니다. 시각 시스템이 작동할 수 있는 조건은 무엇이든 될 수 있습니다. 그래프에서 교차하는 짧은 곡선은 이 수준에 적응한 후 눈이 인지할 수 있는 주관적 밝기의 범위를 나타냅니다. 이 밝기 범위는 눈이 이 밝기 수준에 적응한 후에 볼 수 있습니다. 이 범위는 다소 제한적이며, 레벨 Bb 이상에서는 모든 자극이 구분할 수 없는 검은색으로 간주되고 레벨 Bb 이하에서는 아무것도 구분할 수 없습니다. Bb 이상에서는 모든 자극이 구분할 수 없는 검은색으로 간주됩니다. 곡선의 점선 위에 있는 부분은 어떤 식으로든 제한되지 않지만, 특정 지점 이상으로 확장되면 의미를 잃게 됩니다. 이는 Ba보다 더 높은 강도는 단지 적응성 레벨이 Ba 이상으로 상승할 뿐이기 때문입니다.

- **이미지 획득 과정**

이미지 감지 및 획득:
우리의 관심을 끄는 사진의 종류는 "조명"의 소스와 촬영 중인 "장면"의 요소가 결합하여 만들어지는 사진으로, 조명 소스에서 나오는 에너지를 반사하거나 흡수합니다. 이러한 유형의 사진을 "라이트 페인팅"이라고 합니다. "조명"과 "장면"이라는 용어를 따옴표로 묶은

것은 가시광원이 일상 생활에서 일반적인 3차원(입체) 장면을 비추는 전통적인 시나리오보다 훨씬 더 일반적이라는 사실에 주목하기 위해서입니다. 이는 용어를 따옴표로 묶어 주의를 환기시키고 있다는 사실을 강조하기 위한 것입니다.

예를 들어, 불빛은 레이더, 적외선 또는 X-선 에너지와 같은 전자기 복사 소스에서 발생했을 수 있습니다. 또 다른 가능성은 핵폭발로 인한 조명일 수 있습니다. 또 다른 가능성으로는 광원에 의해 조명이 생성되었을 수도 있습니다. 하지만 앞서 말했듯이 초음파나 컴퓨터가 만든 빛의 패턴과 같이 흔히 생각하지 못하는 광원에서 나왔을 가능성도 있습니다. 이는 일반적으로 고려되지 않는 소스의 예입니다.

비슷한 방식으로 사진의 구성 요소는 인식할 수 있는 물건일 수도 있지만 분자, 아주 깊은 곳에 묻혀 있는 지질 구조물, 심지어 사람의 뇌일 수도 있습니다. 심지어 태양 사진을 찍어 광원의 이미지를 만드는 것도 우리의 능력 범위 내에 있습니다. 물체를 비추는 데 사용되는 에너지는 사용되는 광원의 특성에 따라 물체에서 반사되거나 물체를 통과하여 흐릅니다. 첫 번째 범주에는 수평 또는 수직인 표면에서 반사되는 빛이 포함됩니다. 두 번째 범주에 속하는 상황은 환자의 신체에 엑스레이를 투과하여 진단용 엑스레이 필름을 만드는 경우입니다. 일부 상황에서는 반사되거나 투과된 에너지가 포토 컨버터(예: 형광체 스크린)로 전달되어 에너지를 가시광선으로 변환합니다. 이 과정은 여러 가지 시나리오에서 발생할 수 있습니다. 이 기술은 일부 감마 이미징 애플리케이션에서 활용될 뿐만 아니라 전자 현미경에 사용됩니다.

빛 에너지를 디지털 사진으로 변환하는 과정에서 활용되는 세 가지 기본 센서 설계의 데모 원리는 다음과 같이 쉽게 이해할 수 있습니다: 들어오는 에너지를 전압으로 변환하는 것은 두 가지 요인이 결합된 결과입니다. 첫 번째는 전력의 존재이고, 두 번째는 감지되는 특정 종류의 에너지에 민감한 센서 재료의 존재입니다. 센서(또는 센서들)의 응답은 출력 전압의 파형이며, 각 센서의 응답을 디지털화하여 각 센서에서 디지털 수량을 생성할 수 있습니다.

하나의 감지 장치만을 사용한 이미지 획득 그림 1.13은 단일(a) 센서의 구성에 들어가는 많은 구성 요소를 보여줍니다. 이 범주에서 가장 잘 알려진 센서는 아마도 포토 다이오드일 것입니다. 광다이오드는 실리콘 재질로 구성되어 있으며 출력 전압의 파형은 광다이오드에 비추는 빛의 양에 비례합니다. 센서 앞에 필터를 배치하면 센서의 선택도를 높일 수 있습니다. 예를 들어, 녹색인 "통과" 필터를 광 센서 앞에 배치하면 센서가 색상 스펙트럼의 녹색 대역에 속하는 빛에 더 민감해집니다. 이 사실의 직접적인 결과로 센서의 출력은 가시 스펙트럼의 다른 구성 요소에 비해 녹색 빛에 대해 훨씬 높은 출력을 생성합니다.

단일 센서가 2차원 이미지를 생성하기 위해서는 센서와 촬영 대상 사이의 x 및 y 방향에서 상대적인 변위가 필요합니다. 이것은 센서가 이미지를 생성할 수 있도록 하는 조건입니다. 그림에 나타난 설정은 고정밀 스캔에 사용되며 참조를 위해 제시되었습니다. 이 특정 구성에서는 필름 네거티브가 드럼에 부착되고, 드럼의 기계적 회전이 1차원에서 필요한 변위를 제공합니다. 수직 방향으로 움직일 수 있는 리드 스크류는 단일 센서를 제자리에 고정하는 데 사용됩니다. 이 기술은 느리고 비용이 많이 들지만, 저렴한 가격으로 고품질의 이미지를 생성할 수 있습니다. 이는 기계적 움직임을 정밀하게 제어할 수 있기 때문입니다.

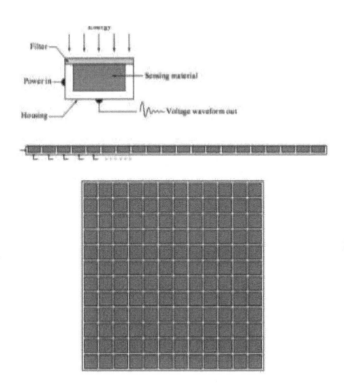

그림1.13 (a) 단일 이미징 센서 (b) 라인 센서
(c) 어레이 센서

이와 유사한 다른 기계적인 구성에서는 평평한 베드가 사용되며, 센서는 두 개의 선형 방향으로 이동합니다. 일부 맥락에서 "마이크로디지타이저"라는 용어는 여기서 논의된 특정 유형의 기계식 디지타이저를 가리키는 데 사용될 수 있습니다.

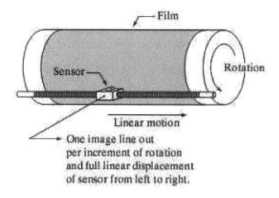

Film

Sensor

Rotation

Linear motion

One image line out
per increment of rotation
and full linear displacement
of sensor from left to right.

그림.13 B. 단일 센서와 모션을 결합하여 2D
이미지 생성하기

센서 스트립을 사용한 이미지 캡처: 센서 스트립 형태의 센서 인라인 배열은 개별 센서를 사용하는 것보다 훨씬 효과적인 이미지 캡처를 제공하기 때문에 개별 센서보다 더 자주 사용되는 기하학적 구조입니다. 스트립은 이미징 구성 요소를 얻기 위한 목적으로 한 가지 방식으로만 판독할 수 있습니다. 스트립에 수직으로 움직이면 다른 방향으로 이미징을 수행할 수 있습니다. 대부분의 플랫 베드 스캐너의 판독 표면은 이러한 특정 방식으로 구성되어 있습니다.

일렬로 정렬된 4,000개 이상의 센서로 구성된 감지 장치를 구축할 수 있습니다. 인라인 센서가 가장 널리 사용되는 애플리케이션 중 하나는 항공 이미징 애플리케이션입니다. 이러한 애플리케이션에서 이미징 시스템은 지리적으로 모니터링할 지역을 특정 높이와 속도로 비행하는 항공기에 장착되는 경우가 많습니다. 이러한 구성을 통해 비행기는 비행 중에 일정한 속도와 고도를 유지합니다. 1차원 이미지 센서 스트립은 항공기가 이동하는 방향과 수직인 방향을 향하도록 장착됩니다. 이 센서 스트립은 전자기 스펙트럼의 다양한 대역에 대해 뚜렷하게 반응합니다. 이미징 스트립은 한 번에 한 줄의 이미지만 표시하지만, 움직일 수 있기 때문에 2차원 사진에 3차원을 모두 표현할 수 있습니다.

스캔해야 하는 영역을 센서에 성공적으로 투사하기 위해 렌즈 또는 다른 유형의 초점 방법을 사용할 수 있습니다.

의료 및 산업 분야에서 이미징 애플리케이션에서는 3차원 물체의 단면 사진을 얻기 위해 링 구성으로 배치된 센서 스트립을 사용합니다. 이는 센서 스트립의 배열을 보여주는 그림 5.3 (b)에 나와 있습니다. 회전하는 X-선 소스는 조명을 제공하는 데 사용되며, 소스 반대편에 위치한 센서 부분은 물체를 통해 전달되는 X-선 에너지를 수집하는 역할을 담당합니다 (센서는 당연히 X-선 에너지에 민감해야 합니다). 이는 의료 및 산업 분야 (CAT)에서 컴퓨터 단층 촬영을 사용하기 위한 토대를 마련합니다. 감지된 데이터를 의미 있는 단면 이미지로 변환하기 위해서는 센서의 출력이 재구성 알고리즘에 의해 처리되어야 한다는 점을 명심해야 합니다. 이러한 이유로 이 사실을 명심하는 것이 매우 중요합니다.

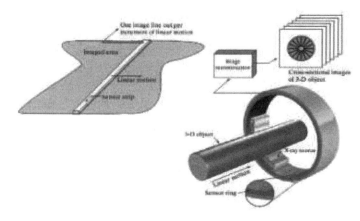

그림1.13 (a) 선형 센서 스트립을 사용한 이미지 획득
(b) 원형 센서 스트립을 사용한 이미지 획득

다시 말해, 센서에서 모션만으로 직접 사진을 획득하는 것이 아니라 상당한 양의 프로세싱이 필요합니다. 스캔 대상 물체가 센서 링에 수직인 방향으로 움직일 때마다 사진을 쌓아 올린 3차원 디지털 볼륨이 만들어집니다. 컴퓨터 단층 촬영 (CT), 양전자 방출 단층 촬영 (PET), 자기 공명 영상 (MRI)과 같은 이미징 방법은 CAT 원

리 (PET)를 기반으로 하는 추가적인 이미징 방식의 몇 가지 예입니다. 광원, 센서, 이미지 유형은 다르지만 개념적으로는 그림 5.3 (b)에 표시된 기본 이미징 접근 방식과 매우 유사합니다.

센서 어레이를 사용한 이미지 획득: (c)는 개별 센서를 2차원 어레이의 형태로 구성하는 방법을 보여줍니다. 어레이는 이와 같은 감지 장치를 배치하는 데 사용되는 일반적인 구조로, 전자기파 및 초음파를 사용하는 장치를 포함하여 다양한 감지 장치를 구성할 수 있습니다. 또한 이 배열은 디지털 카메라가 가장 자주 사용하는 배열입니다. 기술적으로 가능한 경우, 이러한 카메라는 종종 CCD 어레이로 알려진 센서를 사용합니다. 이 특정 종류의 센서는 다양한 감지 기능으로 제작될 수 있으며 최소 4,000개에서 최대 4,000개의 부품으로 구성된 신뢰할 수 있는 어레이로 구성될 수 있습니다. 이러한 어레이의 크기는 최대 1제곱미터까지 측정할 수 있습니다. CCD 센서는 디지털 카메라에 널리 사용되는 것 외에도 다양한 유형의 광 감지 장치에서 찾을 수 있습니다. 이러한 장치에는 다음이 포함됩니다: 천문학 및 저노이즈 사진이 필요한 기타 애플리케이션에서 유용한 품질은 각 센서의 응답이 센서 표면에 투사되는 빛 에너지의 적분에 비례한다는 사실입니다. 이는 CCD 센서와 CMOS 센서 모두에서 발견할 수 있는 품질입니다. 이 품질은 다양한 상황,

특히 선명한 영상을 필요로 하는 상황에서도 유용합니다.

다음은 노이즈 수준이 낮은 사진이 필요한 다른 애플리케이션의 몇 가지 예입니다. 예를들면, 센서가 몇 분에서 몇 시간까지 다양한 시간 동안 들어오는 빛 신호를 통합할 수 있도록 하여 센서에서 생성되는 노이즈의 양을 줄일 수 있습니다. 이렇게 하면 노이즈의 양을 줄이는 데 도움이 됩니다. 그림 5.4 (c)에 표시된 센서 어레이의 크기는 한 차원에 불과하지만, 이 어레이가 제공하는 주요 이점은 에너지 패턴을 어레이 표면에 집중시켜 완전한 이미지를 캡처할 수 있다는 점입니다. 이는 어레이의 차원이 하나뿐이라는 사실을 보완할 수 있는 장점입니다.

그림은 이 점에 대한 증거를 제시합니다. 어레이 센서에는 다양한 응용 분야가 있으며, 그 중 일부는 그림 5.4에서 볼 수 있습니다. 어레이 센서는 응용 분야가 광범위하며 다양한 상황에서 사용될 수 있습니다. 이 그림에서 광원의 에너지는 장면의 구성 요소 중 하나에 의해 반사되고 있지만, 이 단락의 서두에서 언급했듯이 에너지가 반사되거나 전달되지 않고 장면의 구성 요소를 통해 전달될 가능성도 있습니다. 그림 5.4 (c)에서 볼 수 있는 이미징 시스템은 다양한 작업을 수행하는데, 그 중 첫 번째는 들어오는 에너지를 모아 이미지 평면에 집중시키는 것입니다. 이것은 이 시스템이 수행하는 많은 작업 중 하나에 불과합니다.

다른 기능으로는 다음과 같은 것들이 있습니다: 이미징 시스템에서 빛을 주 광원으로 사용하는 경우, 피사체의 가시선 앞에 있는 구성 요소는 렌즈가 됩니다. 이 렌즈는 그림 2.15에서 볼 수 있듯이 렌즈의 초점 역할을 하는 평면에 현재 보고 있는 장면을 투사합니다 (d). 각 센서에서 수신된 빛의 적분에 비례하는 출력이 센서 어레이에 의해 생성되며, 이 센서 어레이는 초점 평면에 우연히 배치됩니다.

이러한 출력은 센서 어레이에 의해 생성됩니다. 센서 어레이는 이러한 출력을 생성하는 역할을 합니다. 이러한 출력은 디지털 및 아날로그 회로에 의해 처리된 후 최종적으로 디지털 및 아날로그 회로에 의해 처리된 후 최종적으로 시각 신호로 변환됩니다. 이 작업을 "스위핑"이라고 합니다. 일정 시간이 지나면 이미징 시스템의 추가 구성 요소가 이 비디오 스트림을 디지털화하는 프로세스를 시작합니다. 최종 결과는 첨부된 그래픽 표현에서 볼 수 있듯이 디지털 사진입니다.

2장. 이미지 분할의 특징

이전 장에서는 사진 영역을 구성하기 위해 사용할 여러 가지 분할 방법에 대해 논의했으며 이러한 유형의 영역에 대한 몇 가지 예를 제공했습니다. 이러한 영역을 객체 인식 시스템에 포함하려면 어떤 세그먼테이션 알고리즘을 사용할지, 어떻게 사용할지에 대해 여러 가지 선택을 해야 합니다. 이러한 고려 사항은 어떤 세분화 알고리즘을 사용할지, 어떻게 사용할지에 관한 것입니다. 가장 간단한 전략은 세분화를 항목에 대한 요약 정보를 제공하는 '블랙박스'로 사용하는 것입니다. 이것이 가장 간단한 방법입니다. 그런 다음 객체 식별 시스템의 다른 구성 요소는 세분화에 의해 생성된 영역을 식별할 수만 있으면 됩니다.

이전 장에서 논의한 세분화는 영역이 객체를 정확하게 식별한다는 보장을 제공하지 않는다는 인상을 주지만, 그럼에도 불구하고 실제로는 항상 그럴까요? 단순히 잘못된 시간에 잘못된 매개변수를 선택한 것일까요? 알고리즘 중 하나에 적합한 매개변수를 찾는 데 성공했다면 모든 사진의 항목을 식별하는 것이 가능했을까요? 그렇지 않다면 세분화 영역과 객체를 얼마나 구분할 수 있을까요? 이 장에서는 세분화 성능에 대한 정량적 분석에 대한 제안을 제공합니다. 적절한 '블랙박스'로 간주되기 위해 세분화 알고리즘에 포함되어야 하는 일련의 특성, 이러한 특성을 테스트하는 일련의 실험, 지정한 실험을 수행할 수 있도록 하는 세분화 정확도 측정에 대해 설명합니다. 이전 장에서 다룬 세분화 알고리즘의 비교는 평가 방법론의 구현을 제시하는 데 기초가 됩니다.

실제로 블랙박스 솔루션으로서 이러한 알고리즘의 상대적인 품질에 대한 제안을 제공할 수 있다는 사실을 발견했지만, 어떤 알고리즘도 전적으로 만족스러운 결과를 제공하지 못한다는 사실도 발견했습니다. 대신, 우리는 실험을 통해 얻은 데이터를 활용하여 이 논문의 나머지 부분에서 세분화 영역을 다루면서 사용할 전략에 대한 정당성을 제공할 것입니다.

2.1 세분화 평가 프레임워크

세분화 알고리즘이 더 큰 시스템에서 유용한 '블랙박스'가 되기 위해서 우리는 세 가지 중요한 특징을 가져야 한다고 제안합니다:

1. 정확도는 기준 데이터와 일치하는 세그먼테이션을 생성할 수 있는 능력으로 정의됩니다. 즉, 너무 세밀하거나 지나치게 거칠지

않은 수준의 정보를 유지하면서 사진의 구조를 정확하게 식별하는 세그먼테이션입니다.

2. 매개변수 선택에 대한 안정성: 다양한 매개변수 옵션에 걸쳐 일관된 정확도의 세그먼트를 생성할 수 있는 기능입니다.

3. 이미지 선택에 대한 안정성: 다양한 사진에서 동일한 매개변수 선택을 사용하여 일관된 정확도의 세그먼트를 생성할 수 있는 능력입니다.

세분화 방식이 이 세 가지 조건을 충족하면 유용하고 예측 가능한 결과를 제공하며, 광범위한 매개변수 조정 없이도 더 큰 시스템에 성공적으로 포함될 수 있습니다. 세분화 방법의 정확도는 그것이 포함될 더 큰 시스템의 맥락에서 평가할 때만 의미가 있다고 제안되어 왔습니다. 더 넓은 컨텍스트가 전체 시스템을 더 정확하게 표현할 수 있기 때문입니다. 반면에 이러한 시스템의 대부분은 세분화 방법이 위에서 설명한 몇 가지 요구 사항을 충족한다는 가정 하에 작동합니다. 또한 의미가 없는 결과를 제공하는 알고리즘을 걸러내고 나머지 시스템의 구성 요소를 알 수 없더라도 자체적으로 잘 작동하는 알고리즘으로 가능한 알고리즘 목록을 제한하는 것은 가치가 있습니다. 이는 가능한 알고리즘의 수를 줄이는 과정에서 중요한 단계입니다.

세분화 알고리즘이 아래에 명시된 모든 조건에 부합하지 않더라도 효과적인 세분화를 제공할 수 있지만, 그럼에도 불구하고 세분화 방법은 블랙박스 역할을 할 수 없다는 점에 유의하는 것이 중요합니다. 세분화 알고리즘이 앞서 언급한 기준 중 하나라도 제대로 작동하지 않는 경우, 더 큰 규모의 시스템에서 조정을 수행해야 합니다. 예를 들어, 알고리즘이 이미지 선택과 관련하여 불안정한 경우, 다른 매개변수를 사용하여 각 사진을 분할할 수 있으므로 적어도 하나의 분할에서 물체 경계가 잡힐 가능성이 높아집니다. 이것이 바로 우리의 전략이며, 이 장과 논문 뒷부분에서 더 자세히 다룰 것입니다. 따라서 세분화 알고리즘이 가장 효과적인 블랙박스를 제공하는지 여부를 논의하는 것 외에도, 이번 실험을 통해 물체 인식에 사용하는 프레임워크에 세분화를 포함시키는 전략을 설명할 것입니다.

앞서 언급한 특징에 대한 세분화 방법을 테스트하기 위해 버클리 세분화 데이터베이스라는 사진 데이터베이스에서 일련의 실험을 실행합니다. 이 데이터베이스에는 실측 자료 세그먼트가 첨부된 이미지가 포함되어 있습니다. 이 데이터베이스의 각 사진에는 약5~7개의 실측 자료 세그먼트가 연결되어 있습니다. 이러한 세그먼트는 기계 생성 세그먼트의 결과를 비교하는 데 사용되며, 몇 가지 예가 그림2.1에 나와 있습니다. 위에 나열된 각 특성에 대한 알고리즘을 테스트하기 위해 각 특성에 해당하는 숫자를 사용하여 다음과 같은 실험을 수행합니다:

1. 알고리즘이 정확한 결과를 생성하는지 여부를 결정하기 위해 다양한 매개변수 값을 사용하여 데이터베이스에 있는 각 사진의 수많은 세그먼트를 구축할 것입니다. 알고리즘이 달성할 수 있는 최상의 성능에 대한 추정치는 실측 데이터에 가장 근접하게 일치하는 각 사진의 세그먼테이션입니다.

2. 선택한 매개변수와 관련하여 알고리즘의 일관성을 평가하려면 각 사진을 여러 번 세분화해야 합니다. 다양한 설정을 사용하는 동안 세그먼트 품질에 큰 차이가 있는 경우 알고리즘의 불안정성을 확인할 수 있습니다.

3. 사진 선택과 관련하여 알고리즘의 일관성을 평가하기 위해 정확히 동일한 매개변수 세트를 사용하여 데이터베이스에 있는 모든 사진을 세분화합니다. 세분화의 품질이 사진마다 크게 다르면 이 방법은 불안정한 것으로 간주됩니다.

세분화의 성능은 과거에 많은 정성적 평가를 거쳤습니다. 반면에 우리는 정량적 분석을 수행하고자 하기 때문에 이미지 세분화의 정밀도를 기준 진실과 비교할 수 있는 지표가 필요합니다. 권장된 실험을 성공적으로 수행하기 위해서는 해당 측정값이 세분화를 실측 자료로 사용되는 많은 사람의 세분화와 비교할 수 있어야 합니다.

또한 특정 세그먼트(예: 다른 영역에 속하는 모든 픽셀)에 인위적으로 높은 점수를 부여하는 비정상적인 상황도 발생하지 않아야 합니다. 이는 하나의 세그먼트에 의도적으로 높은 점수를 부여하는 경우에 발생할 수 있습니다. 둘째, 동일한 사진의 여러 세그먼트와 서로 다른 이미지의 세그먼트를 비교하고자 하기 때문에 이 측정값은 영역이 어떻게 형성되는지에 대한 어떠한 가정도 할 수 없으며, 영역의 수나 크기에 대한 어떠한 가정도 할 수 없습니다.

그림2.1. 버클리 이미지 세분화 데이터베이스의
이미지 예시와 5개의 인간 세분화: 이 예제에서
독자들은 인물 세그먼트 간의 영역 세분화에
차이가 있음을 알 수 있음

또한, 여러분들은 서로 다른 이미지 영역에서 서로 일치하거나 일치하지 않을 수 있는 여러 지상 실측 세그먼트와 비교하고자 하므로 측정값이 이미지의 일치 수준에 따라 적응적으로 조정될 수 있으면 유용할 것입니다. 즉, 서로 다른 이미지 영역에서 일치하거나 일치하지 않을 수 있는 여러 지상 실측 세그먼트와 비교하고자 합니다. 그림 2.1에 표시된 사람 세그먼트 중 모든 지상 실측 세그먼트가 일치하는 특정 이미지 섹션이 있는 반면 다른 사진 부분에서는 불일치 정도가 다르다는 점에 유의하는 것이 중요합니다. 마지막으로, 측정에 의해 부여된 점수는 이해하기 쉽고 여러 사진에 걸쳐 비교할 수 있어야 합니다. 다음 부분에서는 이러한 모든 요구 사항을 실제로 충족하는 세분화 정확도의 척도인 정규화된 확률론적 랜드 지수에 대해 설명하겠습니다.

2.2 PRR 측정

확률론적 랜드(PR) 지수는 여러 연구자들이 새로운 세그먼트와 기준 영상 세그먼트 세트의 유사성을 평가하는 수단으로 제시한 측정법입니다. 이 측정값은 새로운 세분화와 지상 실측 이미지 세분화 세트의 유사성을 평가하는 데 사용됩니다. 원래 랜드 인덱스는 두 세분화에서 레이블(또는 영역) 연결이 동일한 포인트 쌍의 수를 기반으로 서로 다른 두 세분화 간의 일치 정도를 계산하는 잘 알려진 비모수적 통계입니다.

다시 말해, 한 세분화에서 두 포인트가 같은 영역에 포함되어 있다면 다른 세분화에서도 같은 영역에 포함되어야 한다는 뜻입니다. 두 사이트가 서로 다른 영역에 위치하더라도 결과는 동일하므로 차이가 없습니다. 엄밀히 말하면, X = xi로 표시되는 점들의 집합이 있고, I = 1...N이라고 가정하고, S와 S 0을 그 점들의 두 가지 분할이라고 합니다. 세분화 S에서 점 xi의 레이블(영역이라고도 함)을 li로, 세분화 S 0의 레이블을 l 0 i로 표기한다고 가정해 보겠습니다. 두 세분화에서 연관성이 동일한 점 쌍의 비율로 계산되는 랜드 지수는 이 현상을 정량화하는 데 사용되는 측정값입니다.

$$R(S, S') = \left(\dfrac{1}{\dbinom{N}{2}}\right) \sum_{\substack{ij \\ i \neq j}} [I(I_i = I_j \wedge l'_j = l'_j) + II(I_i \neq I_j \wedge l'_i \neq l'_j)]$$

(2.1)

여기서 I는 지표 역할을 하는 함수입니다. 특정 점 집합이 어느 영역에 속하는지는 표시되지 않는다는 점에 유의해야 합니다. 또한 S와 S0에 존재하는 영역의 수는 다를 수 있습니다. 세분화 S0 = Stest가 새로운 세분화이고 세분화 S가 인간 세분화인 경우 세분화 S0의 정확도는 랜드 지수를 사용하여 결정할 수 있습니다. 이제 랜드 인덱스는 확률론적 랜드(PR) 인덱스라는 확장 기능 덕분에 수많은 기준 데이터 세분화를 수용할 수 있습니다.

'S1,..SK'를 이미지 'X = xi'에 대한 지상 실측 세분화의 모음이라고 하고, 'l Sk I'를 '세분화 Sk'에서 픽셀 'xi'의 레이블이라고 합니다. p_ij를 그림의 모든 사람 세그먼트에서 서로 일치하는 xi와 xj에 동일한 레이블이 할당될 확률로 정의합니다. 이 값에 따라 PR 지수가 결정됩니다.

$$PR(S_{test} \uparrow S_k) = \frac{1}{\binom{N}{2}} \sum_{\substack{ij \\ i<j}} [I(l_i^{S_{test}} = l_j^{S_{test}})p_{ij} + (1 - I(l_i^{S_{test}} = l_j^{S_{test}}))(1 - p_{ij})]$$

$$= \frac{1}{\binom{N}{2}} \sum_{\substack{ij \\ i<j}} [c_{ij}p_{ij} + (1 - e_{ij})(1 - p_{ij})]$$

(2.2)

여기서 cij = $I(l_i^{S_{test}} = l_j^{S_{test}})$ PR 지수의 범위는[0, 1]이며, 1이 가장 가장 바람직합니다. 사용 가능한 인간 세분화 집합이 모든 인간 세분화를 대표한다고 생각하면 다음과 같이 단순화하여 할당하는 것이 유용합니다:

$$p_{ij} = \frac{1}{K} \sum_{K=1\_K} I(l_i^{S_k} = l_j^{S_k}) \quad (2.3)$$

이 시나리오에서는 다음 예시와 같이 PR 지수를 효과적으로 계산할 수 있습니다: PR 인덱스에는 다양한 세분화 기법 간의 차이점과 유사점을 분석하는 데 적합한 메트릭에서 원하는 세 가지 기능이 포함되어 있습니다. 2.1장에서는 세분화 정확도에 대한 몇 가지 지표를 더 살펴보겠지만, 앞서 언급한 세 가지 특성을 모두 포함하는 측정 지표는 없습니다. 첫 번째 특징은 가상의 상황에 대해 측정값이 인위적으로 부풀려지는 상황인 퇴화 사례가 없다는 것입니다. 새로운 세분화가 높은 PR 지수를 가지려면 기준 데이터 세분화 세트에서 강력한 존재감을 가져야 합니다.

두 번째 특징은 세분화가 생성되는 방식에 대한 선입견이 없다는 것입니다. 각 세분화에 포함되는 레이블의 수나 영역의 크기에는 제한이 없습니다. 기준 데이터 세분화에 따라 지역 세분화에 적응할 수 있는 능력은 PR 인덱스가 보여주는 세 번째 품질이며, 이 지수의 차별적인 특징 중 하나입니다. 즉, 새로운 세분화가 더 큰 지역을 세분화하더라도 해당 세분화에 대한 지상 실측 세분화의 지지가 있는 경우 새로운 세분화가 불이익을 받지 않습니다. 이는 새로운 세분화가 실측 자료 세분화와 비교되는 경우에 해당합니다.

반면에 모든 실측 데이터 세그먼트가 해당 지역에 대해 동의하는 경우 새로운 세그먼트는 지역을 세분화할 때 페널티를 받습니다. 이와 대조적으로, 어떤 측정값은 어떤 종류의 세분화도 전혀 허용하지 않거나 지상 자료 세분화에 관계없이 어떤 종류의 세분화도 허용합니다. 이는 앞서 언급한 측정값과 대조를 이룹니다. 그러나

PR 지수의 결과를 평가하고 여러 사진에 걸쳐 비교하는 것은 어려울 수 있습니다.

"좋은" PR 지수는 정확히 무엇을 구성할까요? 두 개의 개별 사진에 적용했을 때, 예를 들어 0.5라는 숫자는 동일한 의미를 가질까요? 이미지의 여러 구성 요소를 분리하는 것이 얼마나 어려울까요? 안타깝게도 PR 지수의 의미는 특정 사진에 한정되어 있으며, 모든 사진에 대해 "충분히 좋은" 것으로 간주할 수 있는 성능 기준은 없습니다. 지금까지 수행해 온 세분화 평가 테스트와 관련해서는 이것이 가장 큰 단점입니다.

이 문제를 해결하고자 정규화된 확률적 랜드(NPR) 지수를 개발함으로써 연구자들은 PR 지수와 관련하여 확인된 문제에 대한 해결책을 찾으려 노력했습니다. 연구자들의 목표는 특정 사진과 관련된 PR 지수에 대해 정상으로 간주될 수 있는 성능 수준을 결정한 다음 해당 기준선에 대해 PR 지수를 정규화하는 것입니다:

$$Normalized\ index = \frac{index - Expected\ index}{Maximum\ index} \qquad (2.4)$$

이 공식에 따르면, 제공된 사진의 예측 지수보다 PR 지수가 높거나 NPR 지수가 0보다 높은 경우 세그먼테이션이 무작위보다 나은 것으로 간주됩니다. 또한 NPR 지수는 사진 컬렉션 전체의 변동을 정확하게 설명하므로 다양한 이미지에서 그 값을 비교할 수 있습니다. 정규화 방정식에서 가장 높은 지수는 숫자 1 또는 이미지별 및 데이터에 따라 달라지는 값으로 조정할 수 있습니다.

통계 문헌에서 가장 좋은 옵션에 대한 합의가 부족합니다. 각 사진에 대해 최대 점수가 일관된 세그먼테이션을 결정하는 것은 계산적으로 어렵기 때문에 최대 인덱스=1로 설정하기로 결정했습니다. 이 결정은 정확성의 중요성 때문에 내려진 것입니다. 방정식 2.4에서 정규화를 계산하려면 먼저 특정 사진에 대한 PR 지수의 예상값을 구해야 하는데, 이는 다음과 같습니다:

$$IE[PR(S_{test} \uparrow S_k)] = \frac{1}{\binom{N}{2}} \sum_{\substack{ij \\ i<j}} IE[II(l_i^{S_{test}} = l_j^{S_{test}})]p_{ij} + IE[II(l_i^{S_{test}} \neq l_j^{S_{test}})](1-p_{ij})$$

$$= \frac{1}{\binom{N}{2}} \sum_{\substack{ij \\ i<j}} [p'_{ij}p_{ij} + (1-p'_{ij})(1-p_{ij})]$$

(2.5)

$$p'_{ij} = \frac{1}{\emptyset} \sum_{\varphi} \frac{1}{K_\phi} \sum_{k=1}^{K_\phi} I(l_i^{S_k^\phi} = l_j^{S_k^\phi}) \qquad (2.6)$$

$p'_{ij} = IE(I(l_i^{S_{test}} = l_j^{S_{test}})]$ 이 것의 의미 있는 계산 방법은 무엇인가요? 우리는 다음과 같이 제안합니다. 정규화의 기준선은 무작위적이지만 사실적인 이미지의 지각적으로 일관된 그룹을 대표해야 합니다. 이는 모든 이미지의 세그먼트에서 p0ij를 추정하는 것으로 해석할 수 있습니다. 데이터 세트의 이미지를 $\emptyset$라고 하고, 이미지 $\emptyset$의 기준 진실 세그먼테이션 수를 $K\varphi$라고 합니다. 그러면 p0ij는 다음과 같이 표현할 수 있습니다. 기준선은 지상 실측 훈련 세트에 있는 모든 사진의 경험적 증거에 의존해야 한다는 당사의 개념은 이전의 정규화 접근 방식에서 크게 벗어난 것입니다. 두 가지 모두 랜드 지수에 대한 정규화 선략을 제공합니다. 두 정규화 방식은 모두 초기하학적 분포를 사용하여 세그먼테이션을 생성한다는 가정을 기반으로 합니다. 여기서 가정하는 불리한 가정은 서로 다른 세그먼트가 서로 독립적이며 각 레이블의 확률이 항상 동일하다는 것입니다.

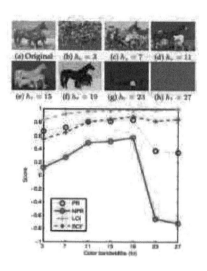

그림2.2. 다양한 세분화 세부 수준에 따른 점수 변경 예시:

또한 이러한 방식에서는 고려 중인 세그먼트의 타당성과 관계없이 이론적으로 생각할 수 있는 모든 세그먼트에 대해 일정한 클러스터 비율로 예상값이 계산됩니다. 이와는 대조적으로 정규화된 확률적 랜드 지수(NPR)의 경험적 기준선은 이론적 기준선에 비해 두 가지 중요한 이점이 있습니다: 둘째, $p\ 0\ ij$와pij는 실측 데이터에서 얻은 데이터를 사용하여 모델링되기 때문에 사진에 존재하는 클러스터의 수와 크기를 일정하게 유지할 필요가 없습니다.

이를 통해 클러스터 크기가 다른 두 개의 서로 다른 세그먼트에서 발생하는 오류를 비교할 수 있습니다. 이 특성을 세분화 방법 평가에 사용하면 알고리즘의 성능을 다양한 파라미터와 비교할 수 있습니다. 그림 3.2의 상단 두 행에는 각각 세분화 데이터베이스에서 가져온 그림과 세분화 방법의 특정 매개변수 값을 변경하여 생성된 다양한 수준의 세분화가 포함되어 있습니다. PR 지수는 세분화 간의 올바른 연결을 정확하게 나타내지만, 그 범위가 제한되어 있고 예측값을 알 수 없기 때문에 어떤 세분화가 "우수한" 것으로 간주할 수 있는지 판단하기 어렵습니다. NPR 인덱스는 이러한 문제를 해결합니다.

그림 2.2에서 (a)는 변경되지 않은 원본 사진, (b) ~ (h)는 각각 스케일 대역폭(hs) 7 및 컬러 대역폭(hr) 3, 7, 11, 15, 19, 23, 27을 사용한 평균 시프트 세그먼테이션입니다. 각 세분화에 대한 LCI, BCI*, PR 및 NPR 유사성 점수가 시각적으로 플롯에 표시됩니다. 유사도 백분율도 표시됩니다. NPR 지수만으로는 이미지의 각 세그먼테이션이 얼마나 효과적으로 직관적으로 실행되었는지를 정확하게 보여줄 수 있습니다. 예상했던 대로 NPR 지수는 세그먼테이션 (f)가 가장 좋은 옵션이고, 세그먼테이션 (d), (e), (f)는 허용 가능한 대안이며, 세그먼테이션 (g)와 (h)는 무작위 세그먼테이션보

다 나쁘다는 것을 나타냅니다.

점수가 0보다 훨씬 큰 세분화는 유익한 것으로 간주되며, 이는 퇴보하는 상황이 없도록 하기 위해 세분화 간에 필요한 연결이 있음을 나타냅니다. 우리가 사용한 정규화 방법 대신 다른 정규화 방법을 사용했다면 이 비교는 전혀 불가능했을 것입니다.

그림2.3. NPR 지수가0에 가까운 세분화 예시. 독자들은 NPR 지수가0보다 높은 세분화는 무작위로 현실적이고 일관된 세분화보다 더 나은 반면, NPR 지수가0보다 낮은 세분화는 예상보다 더 나쁘다는 것을 발견할 수 있습니다.

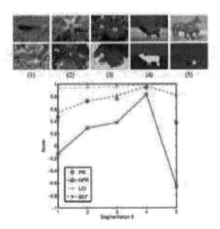

그림3.4. 서로 다른 이미지의 세그먼트 비교 예시: (1)-(5) 맨 윗줄: 원본 이미지, 두 번째 줄: 해당 세그먼트. 그림은 각 세그멘테이션에 대한 LCI, BCI*, PR 및 NPR 유사성 점수를 번호로 표시했습니다. NPR 지수만이 이미지 전반에서 각 세그멘테이션의 직관적인 정확도를 반영합니다.

둘째, p0ij는 모든 실측 데이터의 도움을 받아 모델링되므로 다양한 사진의 세그먼트에 대한 NPR 지수는 서로 비교할 수 있습니다. 이는 두 번째 요점 때문입니다. 이는 첫 번째 요점 때문입니다. 이 때문에 다양한 사진에 대한 다양한 알고리즘의 효과를 평가하는 것이 훨씬 덜 어려워졌습니다. 다양한 사진 전체에 대해 수행된 세그멘테이션의 결과는 그림 3.4에 나와 있습니다. 첫 번째 행에는 처음에 촬영된 이미지가 포함되어 있고, 두 번째 행에는 동일한 사진의 세그먼트화된 버전이 있습니다. 다시 말하지만, NPR은 세그먼트

간에 필요한 링크를 표시하고 사용자가 출력을 간단하게 이해할 수 있는 유일한 인덱스입니다. NPR의 또 다른 장점은 무료인 유일한 인덱스라는 점입니다.

이 때문에 NPR 지수의 응용은 매우 유용합니다. 이와 유사한 지표를 제시할 수 있는 유일한 매체는 국립 공영 라디오뿐입니다. 그림 3.5와 3.6에는 서로 거의 구별할 수 없는 사진이 포함되어 있습니다. 이 이미지는 수많은 이미지를 비교하는 추가적인 예를 제공하고 인덱스에 차이가 없음을 증명함으로써 NPR 인덱스의 신뢰성을 보여줍니다. 그림 3.5의 하위 그림 b에 표시된 두 세그먼트는 모두 (기준 진실의 세그먼트를 평가할 때) "우수한" 품질 측면에서 지각적으로 서로 동등하며, 그 직접적인 결과로 NPR 지수가 높고 서로 유사합니다. 그림 3.6(b)에 표시된 두 세분화 모두 지각적 관점에서 볼 때 "불량"으로 간주되며, 이는 과도한 수의 세그먼트가 포함되어 있음을 나타냅니다. 이 때문에 이 두 세그먼트의 NPR 지수는 매우 낮습니다. 이는 상황의 직접적인 결과입니다.

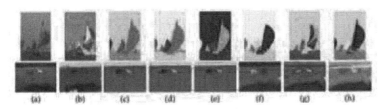

그림3.5. "좋은" 세분화의 예: (a) 버클리 세분화 데이터베이스의
이미지, (b) 평균 시프트 세분화(hs = 15, hr = 10 사용)
및(c-h) 지상 실측 손 세분화. 상단 이미지: NPR = 0.8938,
하단 이미지: NPR = 0.8495

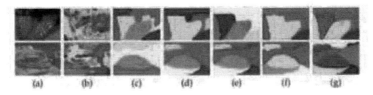

그림3.6. "불량" 세분화의 예: (a) 버클리 세분화 데이터베이스의
이미지, (b) 평균 시프트 세분화(hs = 15, hr = 10 사용), (c-g)
지상 실측 손 세분화. 상단 이미지: NPR = -0.7333,
하단 이미지: NPR = -0.6207

2.3 기타 세분화 품질 측정

다양하고 혁신적인 세분화 품질 측정 방법이 세분화에 대한 포괄적
인 연구 과정에서 발견되었습니다. 트위터의 자체 NPR 지수는 비
모수적인 측정치인 코헨 카파, Jaccard 지수, 파울크스 및 말로 지
수, (조정된) 랜드 지수에서 영감을 받아 개발되었습니다. 그러나

이러한 메트릭 중 어떤 것도 두 개 이상의 세그먼테이션을 동시에 비교할 수 없기 때문에 여러 개의 기준 데이터 세그먼테이션이 있는 경우를 다루지 못합니다.

경계 일치 정도를 분석하는 비교 기술은 매우 위험한데, 경계 픽셀을 일치시키는 시스템이 필요하며, 이 중 일부는 올바르게 정렬되지 않을 수 있습니다. 또한 어떤 지역에서는 천연 자원이 정제되는 것을 허용하지 않습니다. 결론적으로, 경계 일치 알고리즘은 일치하지 않는 경계 픽셀의 품질을 무시하므로 일치하지 않는 경계가 사진의 어느 위치에 있더라도 동일한 점수가 부여될 수 있습니다. 이는 품질이 아닌 일치하지 않는 테두리의 위치를 기준으로 점수를 매기기 때문입니다. 이는 일치하지 않는 테두리의 위치에 관계없이 동일한 점수를 부여하기 때문입니다.

세분화 문제를 이진 분류기로 재구성하고 제공된 메트릭은 주제와 관련된 정확도 및 회수율 외에도 오탐 및 오탐률과 같은 데이터를 살펴보았습니다. 이러한 표현의 직접적인 결과로, 그들은 단 하나의 근본적인 현실이 존재한다는 가정 하에 작동할 수밖에 없습니다. 또한 우주와 관련된 모든 정보는 통합 통계에서 완전히 생략됩니다. 테스트 세그먼트에 존재하는 픽셀 쌍과 기준선 세그먼트에 존재하는 픽셀 쌍 사이에 존재하는 상호 정보 점수는 세그먼트의 품질을 평가하는 데 사용됩니다. 이 점수는 두 가지 유형의 세분화 각각에 존재하는 픽셀 쌍을 비교합니다. 이 점수는 모든 지상 실측 세그먼트에서 동일한 영역 연결이 있는 픽셀 쌍만 고려하며, 이는 세그먼트가 구성된 방식이기 때문입니다. 영역 연결이 다른 픽셀 페어링은 고려하지 않습니다.

모호성이 높더라도 오류의 여지가 큰 픽셀 쌍은 여전히 거부됩니다. 각 세그먼트에서 사용할 수 있는 전체 정보의 양과 세그먼트 간에 존재하는 상호 정보를 모두 고려하기 때문에 정보 변화 측정은 어느 정도 도움이 될 수 있는 접근 방식입니다. 이 방법을 실제 세계의 많은 사진을 처리할 수 있도록 확대하면 몇 가지 흥미로운 속성을 갖게 될 것입니다. 측정에서는 테스트 세분화의 각 클러스터와 기준 데이터 세분화에서 가장 정확하게 표현된 클러스터 간에 발생하는 중첩이 고려됩니다. 그 직접적인 결과로 어떤 종류의 정제도 허용되지 않으며, 노동 집약적이고 비용이 많이 드는 영역 매칭을 수행할 수밖에 없습니다. 이 패러다임의 일반적인 공식은 지역 중첩 점수입니다:

$$\text{Overlap}(R_1, R_2) = \frac{|R_1 \cap R_2|}{|R_1 \cup R_2|} \qquad \textbf{(3.7)}$$

Martin 등이 개발한 세그먼트 품질 측정은 다양한 수준의 세분성을 가진 세그먼트를 비교하기 위한 여러 메트릭을 포함하여 아마도 가장 많이 탐색되고 활용된 측정일 것입니다. 이러한 측정치는 여기에서 확인할 수 있습니다. NPR 지수는 다른 출처의 수치와 비교되며, 이 섹션에서는 이러한 비교에 사용되는 두 가지 변수를 살펴봅니다.

앞서 이미지와 세그먼트에 대해 제시된 언어에 따르면, 세그먼트(클래스) C(S, xi)는 세그먼트 S 내부에 픽셀 xi가 포함된 것으로 간주됩니다. 국부적 세분화 오류(LRE)의 양을 구하려면 아래 제공된 공식을 픽셀 xi에 적용합니다:

$$LRE(S, S', x_i) = \frac{|C(S, x_i) \setminus C(S', x_i)|}{|C(S, x_i)|}$$

각 픽셀에서 LRE를 결합하는 간단한 접근 방식은 글로벌 일관성 오류(GCE)로, 테스트 세그먼테이션이 기준선 세그먼테이션의 세분화가 될 수 있거나 그 반대의 경우도 가능하지만 이미지의 다른 부

분에서 다른 세분화 방향을 허용하지 않습니다. GCE는 다음과 같이 정의됩니다:

$$GCE(S,S') = \frac{1}{N}\min\sum_i LRE(S,S',x_i),\sum_i LRE(S',S,x_i)$$

대신 국소 일관성 오류(LCE)와 비교하는데, 이는 NPR 인덱스와 마찬가지로 이미지의 여러 부분에서 서로 다른 세분화 관계를 허용하기 때문입니다. LCE는 다음과 같이 정의됩니다:

$$LCE(S,S') = \frac{1}{N}\sum_i \min LRE(S,S',x_i),LRE(S',S,x_i)$$

LCE는 다양한 정도의 정제 오류를 가질 수 있기 때문에 LCE는 사실상 GCE보다 크지 않습니다. 이는 LCE의 정제 오류가 다양할 수 있기 때문입니다. 비교를 용이하게 하기 위해 먼저 로컬 일관성 오류를 취하고 프로세스에 LCI = 1 LCE라는 공식을 적용하여 로컬 일관성 지수(LCI)로 변환합니다. NPR 지수가 유사성의 척도라는 점을 감안할 때, 이는 충분히 생각할 수 있습니다.

LCI는 두 개의 개별 세그먼트가 서로 가장 다른 상황에서는 0의 값을 가지며, 세그먼트가 서로 가장 유사한 상황에서는 1의 점수를 갖습니다. LCI 측정에는 한 가지가 아니라 두 가지 종류의 부정확성이 존재합니다. 우선, 이 측정법은 포괄적인 기준 데이터 세분화 모음과 달리 두 개의 세분화만 비교할 수 있습니다.

그림 2.2와 2.4에 표시된 LCI는 테스트 세그멘테이션과 각 지상 실측 데이터 세그멘테이션을 결합하여 얻은 LCI 점수의 평균입니다. 이 평균은 제시된 LCI 값을 보면 알 수 있습니다. 이는 다른 측정 결과와 비교할 수 있도록 하기 위해 수행되었습니다. 둘째, Martin이 지적한 바와 같이, LCI는 지나치게 높고 설명할 수 없는 결과를 초래하는 퇴행적인 상황으로 가득 차 있습니다. 이러한 점수는 아래 표에서 확인할 수 있습니다.

영역이 하나만 있는 모든 세그먼트와 각 픽셀이 고유한 세그먼트를 나타내는 모든 세그먼트는 1점을 받게 됩니다. 이 점수는 영역이 하나만 있는 모든 세분화에도 제공됩니다. 지상 실측 영역이 함께 결합되거나 더 작은 조각으로 분할될 때, 이러한 과정의 결과로 LCI는 감소하지 않는 경우가 많습니다. 그림 2.8은 과소 분할된 이미지의 예를 보여주고, 그림 2.7은 지상 실측 세그먼트와 관련하여 과대 분할된 이미지의 예를 보여줍니다.

각 그림을 확대하면 두 가지 예시를 모두 볼 수 있습니다. LCI는 인위적으로 부풀려진 등급을 부여하며, 이 등급은 두 세분화 모두에 제공됩니다. 그림 3.2는 민감도가 부족할 경우 다양한 세분화 세부 수준에서 점수가 균일해질 수 있는 방법을 보여줍니다. 이는 세분화 알고리즘이 충분히 민감하지 않을 때 발생할 수 있습니다.

그림 2.4에서 볼 수 있듯이 이 조건은 다양한 이미지에서 일관되게 나타날 수 있으며, 이는 이 점을 보여줍니다. 이 그림에서 NPR 지수는 성능 저하를 나타내는 쉽게 해석할 수 있는 부정적 평가 외에도 세분화에 불이익을 주는 유일한 지표입니다. 이러한 사실 덕분에 가장 유용한 지표로 자리매김했습니다. Martin은 LCI로 인해 발생하는 몇 가지 문제를 해결하기 위해 양방향 일관성 오류(BCE 라고도 함)라는 개념을 고안했습니다:

$$BCE^*(S_{test\uparrow}S_k) = \frac{1}{N}\sum_{i=1}^{N}\min_{k}\{\max\{LRE(S_{test\uparrow},S_k,x_i),LRE(S_k,S_{test\uparrow},x_i)\}\}$$

이 방법을 사용하면 평가 중인 픽셀의 일부분을 가장 정확한 방식으로 표현하는 기준 영상 세트의 세그먼트 부분과 비교합니다.

BCE는 LRE의 양방향 최대값을 고려하기 때문에 결과가 저하되는 경우를 피할 수 있습니다. 반면, BCE는 가장 크게 겹치는 영역에 대해 점수 전체에 걸쳐 엄격한 최소값을 적용하기 때문에 실측 데이터에 존재하는 상대적 주파수 정보를 고려하지 않습니다. 양방향 일관성 지수*(BCI*)는 0과 1 사이의 값도 허용하는 BCI* = 1 BCE*로 정의됩니다. 이 용어는 쉽게 비교할 수 있도록 하기 위해 사용되었습니다. BCI가 과대 및 과소 세분화에 대한 불이익을 LCI 보다 더 엄격하게 적용한다는 것은 분명합니다. 그러나 점수를 정확하게 평가하기는 어렵고 높은 수치가 오해의 소지가 있을 수 있습니다.

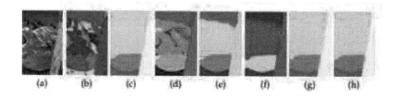

그림 2.7. 오버세그멘테이션의 예: (a) 버클리 세분화 데이터베이스의 이미지,(b) 평균 시프트 세분화(hs = 15(공간 대역폭), hr = 10(색상 대역폭) 사용), (c-h) 기준 실측의 손 세분화. 평균LCI = 0.9370, BCI* = 0.7461, PR = 0.3731, NPR = -0.7349

• 실험

평가 방법론을 설명하고, 이 논문의 나머지 부분에 대한 아이디어의 원천으로 이전 장에서 다룬 네 가지 세분화 기법인 평균 시프트 분할[, 공개적으로 사용 가능한 'MS' 또는 'EDISON'으로 약칭되는 EDISON 구현, Felzenszwalb와 Huttenlocher가 도입한 효율적인 그래프 기반 분할 알고리즘('FH'로 약칭)을 각각 평가해 보겠습니다: 모든 실험은 공개적으로 사용 가능한 Berkeley 사진 분할 데이터베이스의 도움으로 수행했습니다.

그림2.8. 과소 세분화의 예: (a) 버클리 세분화 데이터베이스의 이미지, (b) 평균 시프트 세분화(hs = 15, hr = 10 사용), (c-i) 지상 실측 손 세분화. 평균LCI = 0.9497, BCI* = 0.7233, PR = 0.4420, NPR = -0.5932

이 데이터베이스는 모든 실험에 사용되었습니다. 감도가 가장 낮은 매개변수이고 이를 제거하면 비교를 더 쉽게 이해할 수 있기 때문에 이후의 모든 테스트에서 공간 대역폭을 hs = 7로 유지했습니다. 처음 개발되었을 때 FH 기법에는 문자 k로 표시되는 하나의 매개변수만 있었지만, 이를 업데이트하기 위해서는 두 개의 매개변수를 더 포함해야 합니다.

특징 공간에서 거리를 정확하게 측정하기 위해 각 차원을 해당 hs 및 hr 값(x, y, L, u, v)으로 나누어 데이터의 크기를 다시 조정합니다. 이를 통해 특징 공간의 거리(x, y, L, u, v)를 정확하게 계산할 수 있습니다. EM 알고리즘은 그 이전의 알고리즘과 매우 동일한 방법론을 고수합니다. 따라서 각 알고리즘은 다음과 같이 세트 중 하나에서 가져온 매개변수 조합으로 실행되었습니다: hs = 7, hr = [3, 7, 11, 15, 19, 23], k = [5, 25, 50, 75, 100, 125]. 추가 단어를 추가하지 않기 위해 모든 알고리즘에 대해 전반적으로 hr과 hs를 매개변수 표시로 사용하여 표기법을 가볍게 사용합니다. 이를 통해 추가 단어를 추가하는 것을 피할 수 있습니다. 각 플롯 유형의 축은 비교하기 쉽도록 일정하게 유지됩니다.

- **최대 성능**

첫 번째 테스트에서는 허용 가능한 입력 매개변수 세트가 주어졌을 때 세 가지 알고리즘이 생성한 세그먼트의 정확도를 연구합니다. 이는 세분화가 유용한지 여부를 결정하기 위해 수행됩니다. 그림 3.9의 왼쪽에 있는 각 알고리즘에 대한 그래프에는 각 사진에 대해 가장 높은 NPR 지수가 표시되어 있습니다. 각 알고리즘에 대해 인덱스가 내림차순으로 표시되지만 그림 190은 각 알고리즘에 대해 인덱스가 190번째로 낮은 이미지를 나타냅니다. 그럼에도 불구하고, 인덱스가 동일한 순서로 표시되지 않기 때문에 이미지(190)는 모든 알고리즘에서 동일한 이미지를 나타내지 않을 수 있습니다. 그래픽의 오른쪽에 "그림 3.9"라고 표시된 것은 동일한 데이터를 표시하는 히스토그램입니다. 이 히스토그램은 각 최대 NPR 인덱스 빈에 포함된 총 사진 수에 대한 정보를 제공합니다.

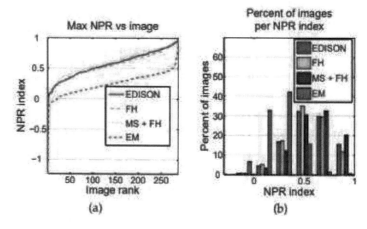

그림2.9. 각 알고리즘에 사용된 파라미터 세트에 따라 개별
이미지에서 달성한 최대NPR 인덱스. 그림(a)는 각 이미지에서
개별적으로 달성한 인덱스를 인덱스가 증가하는 순서대로
보여줍니다. 플롯(b)는 동일한 정보를 히스토그램 형태로
보여줍니다. 독자들은 NPR 지수의 예상값은0이고
최대값은1이라는 점을 기억할 필요가 있습니다.

EM을 제외한 모든 알고리즘은 서로 비슷한 최대 NPR 지수를 생
성합니다. 이는 동일한 매개변수 구성이 주어졌을 때 모든 알고리
즘이 적절한 세그먼테이션을 생성할 수 있는 용량이 거의 동일하다
는 것을 보여줍니다. 모든 알고리즘은 거의 항상 어느 정도 유용성
이 있는 결과를 제공할 수 있으며, 최대 NPR 지수가 음수인 사진
은 거의 없기 때문에 음수인 최대 NPR 지수는 극히 적습니다. 또
한 그래프에서 알 수 있듯이 각 방법에 대한 매개변수 선택이 적절

했음을 알 수 있습니다.

• **이미지당 평균 성능**

다음으로 조사할 질문은 이러한 알고리즘이 평균적으로 정확한 세그먼테이션을 생성하는지 여부입니다. EM을 제외한 모든 알고리즘이 100% 정확도의 세그먼테이션을 생성할 수 있다는 사실을 염두에 두고, 이것이 우리가 조사하는 첫 번째 질문입니다. 그림 3.10에서 3.15까지 볼 수 있는 다음 일련의 플롯은 각 사진에 대한 평균 지수를 계산하여 얻은 결과의 정확성을 조사합니다. 이 수치는 페이지 아래쪽에서 더 자세히 볼 수 있습니다. 각 행의 첫 번째 플랫은 이 조사에 사용된 모든 구성 요소에 대해 생성된 각 사진의 평균 NPR 지수와 표준 편차를 표시합니다. 이 지수는 이 조사에서 수집된 데이터를 사용하여 도출되었습니다(평균의 오름차순). 정보의 평균을 나타내는 히스토그램은 각 행에 있는 두 번째 플롯에서 볼 수 있습니다. 이 히스토그램은 각 평균 NPR 인덱스 빈에 해당하는 사진의 수를 그래픽으로 보여줍니다. 우수한 세그먼테이션을 성공적으로 생성하는 알고리즘을 사용한 결과로 생성된 히스토그램에서 오른쪽으로 기울어지는 것을 볼 수 있습니다. 이는 이러한 알고리즘 사용의 직접적인 결과로 발생합니다. 표준 편차의 히스토그램은 표의 각 행을 따라 흐르는 세 번째 이미지에 나와 있습니다.

이러한 플롯을 사용하면 매개변수와 관련된 안정성 문제를 해결하는 과정에서 다소 덜하지만 도움이 됩니다. 표준 편차 히스토그램에서 볼 수 있듯이 현재 사용 중인 방법이 매개변수의 변화에 덜 민감한 경우 왼쪽으로 기울어져 있어야 합니다. 이는 히스토그램이 왼쪽으로 치우쳐 있음을 나타냅니다. 수단을 척도로 사용할 때, 우리는 의심할 여지 없이 모든 고유한 프로그램에 대해 우리가 선택하는 매개변수에 대한 의존도를 높이고 있습니다. 특정 알고리즘에 대한 최적 또는 최적의 파라미터를 발견했다고 명확하게 확신할 수는 없지만, 그럼에도 불구하고 서로 매우 유사한 파라미터를 가진 알고리즘의 성능을 비교할 수 있는 위치에 있습니다.

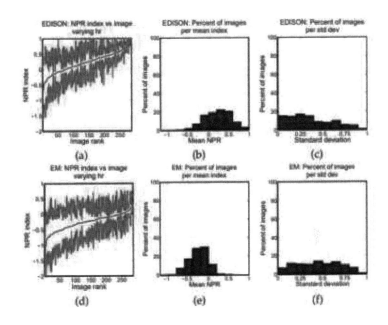

그림2.10. 매개변수 세트hr = {3, 7, 11, 15, 19, 23}에
대해 개별 이미지에서 달성한 평균NPR 인덱스. 평균 시프트
기반 시스템(EDISON)에 대한 결과는 그림(a), (b) 및(c)에 나와
있으며, EM에 대한 결과는(d), (e) 및(f)에 나와 있습니다.
플롯(a)와(d)는 각 이미지에서 개별적으로 얻은 평균 인덱스를
하나의 표준 편차와 함께 인덱스가 증가하는 순서대로
보여줍니다. 플롯(b)와(e)는 평균의 히스토그램을 보여줍니다.
플롯(c)와(f)는 표준 편차의 히스토그램을 보여줍니다.

• **색상 대역폭의 다양한 값에 대한 평균 성능 시간**

이 작업을 통해 k를 동일한 값으로 유지하면서 다양한 시간 값 범

위에 걸쳐 평균화된 NPR 지수를 살펴볼 수 있습니다. 이 데이터를 EDISON 방법론을 활용하여 시각적으로 표현한 차트는 이 문서의 그림 3.10에 나와 있습니다. 그림 3.11은 각각 k 값이 -125, 25, 125일 때 효과적인 그래프 기반 세분화 시스템(FH)과 하이브리드 기법(MS+FH)의 플롯을 보여줍니다. 이러한 값을 사용하여 플롯을 생성했습니다. 여섯 가지 대안 중 세 가지만을 제시할 것입니다. 데이터베이스에 포함된 모든 사진의 세그먼테이션을 사용하여 각 실험 결과의 평균과 표준 편차를 계산했습니다.

하이브리드 시스템과 EDISON 시스템 간의 비교는 생성된 세그먼트에 미치는 효과를 보여주므로 가장 중요한 비교 중 하나입니다. 즉, 하이브리드 시스템이 EDISON 시스템보다 더 효과적이라는 것입니다. 연구 결과에 따르면, k 값이 5인 경우 하이브리드 시스템(MS+FH)의 성능이 평균 시프트 기반 EDISON 시스템보다 약간 우수하고 안정적이라는 것은 부인할 수 없는 사실입니다. 이는 k를 25로 조정해도 성능 차이가 적다는 것입니다. 결론적으로 k가 125일 때 하이브리드 시스템의 성능은 평균 시프트를 기반으로 하는 시스템과 동일합니다.

따라서 평균 편차 필터링 후 효율적인 그래프 기반 클러스터링을 적용하는 것으로 평균 시프트 기반 시스템의 정확도를 유지하면서 안정성을 높일 수 있었습니다. 그림 3.11의 효율적인 그래프 기반 세분화 시스템의 그래프를 보면, k 값이 5에서는 유망하지만, k 값이 커지면 빠르게 성능이 감소함을 볼 수 있습니다. 이는 효율적인 그래프 기반 세분화 시스템의 특성입니다. k 값이 증가하면 시스템의 정확도가 감소합니다.

하이브리드 알고리즘을 사용하면 이러한 감소가 표준 방법보다 더 느리게 발생합니다. 연구 결과에 따르면, 하이브리드 시스템에서 생성된 평균 인덱스는 효율적인 그래프 기반 세분화 시스템에서 생성된 인덱스보다 더 높으며(k 값의 변화와 관련하여) 더 안정적입니다. 이는 하이브리드 시스템이 그래프 기반 방식과 규칙 기반 방식을 모두 사용하기 때문입니다. 따라서 효율적인 그래프 기반 세분화 시스템에 평균 시프트 필터링 전처리 단계를 추가하면 개선됩니다.

- **다양한 k값에 대한 평균 성능**

그림 2.15는 매개변수 k가 -5, 25, 50, 75, 100, 125일 때 평균 NPR 지수를 보여주며, hr 매개변수는 변경되지 않았습니다. 여기서는 hr에 대한 여섯 가지 대안 중 세 가지만 살펴봅니다. 이것이

우리가 조사할 값입니다. 이 시스템은 k를 사용하지 않으므로 여기서 비교하는 것은 평균 교대제 기반 시스템과 다른 시스템 간의 비교가 아닙니다. 대신 하이브리드 시스템과 효율적인 그래프 기반 분할 시스템 간의 경쟁입니다.

그림 2.2, 2.13, 2.14에서 이러한 결론에 대한 몇 가지 구체적인 예를 살펴볼 수 있습니다. 이 그림들은 편의를 위해 제공된 것입니다. EDISON 시스템을 사용하여 평균 시프트 세분화를 수행하면 그림 2.2에서 결과 세분화가 사람들이 사물을 보는 방식과 상당히 유사하다는 것을 알 수 있습니다. 이는 둘 사이의 유사성을 통해 알 수 있습니다. 안타깝게도 이 메서드의 인수로 제공되는 값은 이 메서드의 민감도에 상당한 영향을 미칩니다. 시간당 색상 대역폭을 아주 조금만 변경해도 세분화의 세분성이 크게 변경될 수 있습니다. 색상 대역폭을 조정하면 과소 세분화(그림 3.2g), 합리적인 세분화(그림 3.2f), 과잉 세분화(그림 3.2b)를 만들 수 있습니다.

방정식 3c에 제시된 병합 요건을 사용하면 효율적인 그래프 기반 클러스터링이 변동성이 낮은 영역의 에지에 민감하게 반응하는 동시에 변동성이 높은 영역의 에지에 덜 민감하게 반응할 수 있습니다. 그림 3.13에서 볼 수 있듯이 기준 실측과 관련된 결과 세그먼트의 정밀도는 평균 시프트 기반 세그먼트의 정밀도와 동등하지 않습니다. 이 방법의 인수인 k에 주어진 값도 미묘하지만 눈에 띄는 방식으로 성능에 영향을 미칠 수 있습니다. 그림 3.14는 하이브리드 알고리즘을 문제에 적용된 다양한 매개변수와 결합하여 얻을 수 있는 결과를 보여줍니다. 시간 매개변수를 15로 변경하면 세분화의 품질이 더 높은 수준으로 크게 향상됩니다. 매개변수가 광범위한 가능한 값을 포함한다는 사실에도 불구하고, 이 전략을 사용할 때 세분화 변화의 속도는 앞의 두 가지 방법과 달리 훨씬 더 점진적입니다.

- **매개변수 선택에 따른 평균 성능**

위에서 자세히 설명된 테스트 결과를 통해 이미지 세분화의 품질이 사용된 세분화 매개변수에 따라 달라짐을 발견했습니다. 이제 전체 이미지 컬렉션을 확보했으므로 단일 기준 세트가 전반적으로 일관된 결과를 생성하는지 여부를 검토해 보겠습니다. 이 방법이 효과가 있다면 처리하는 각 사진에 대해 "최상의" 매개변수 값을 사용할 수 있을 것입니다. 각 실험의 결과는 특정 매개변수와 관련하여 맥락에 따라 표시됩니다. 평균과 표준 편차 계산은 데이터베이스에 포함된 모든 사진의 세그먼테이션을 사용하여 수행됩니다.

- **다양한 시간 값에 대한 모든 이미지의 평균 성능.**

처음 세 개의 그래프 세트는 매개변수 k를 고정하고 각각 3, 7, 11, 15, 19, 23의 값으로 설정된 시간에서 값을 가져올 때 생성되는 결과를 보여줍니다. 그림 2.12는 이러한 파라미터를 사용하여 EDISON 시스템을 실행한 결과를 표시하며, 결과는 이미지 세트 전체에 걸쳐 평균화되고 표준 편차가 단일합니다. 효율적인 그래프 기반 분할(FH) 시스템과 하이브리드(MS+FH) 시스템 모두 그림 2.16의 변수 k에 대해 가능한 여섯 가지 값 중 일반적인 세 가지에 대해 동일한 정보를 표시합니다.

이 정보는 변수 k에 대해 가능한 여섯 가지 값 중 일반적인 세 가지 값에 대해 표시됩니다. 종합적인 보기를 제공하기 위해 k의 나머지 잠재적 값을 반영하는 그래프에 액세스할 수 있습니다[87]. 과거의 경우와 마찬가지로 하이브리드 알고리즘은 평균 시프트 기반 시스템에 비해 안정성이 약간 향상되었음을 알 수 있지만, 이러한 향상은 k의 더 작은 값에 대해서만 볼 수 있습니다. 이러한 향상은 평균 시프트 기반 시스템에서만 볼 수 있습니다. 또한 k = 5인 시나리오를 제외하고 하이브리드 시스템, 평균 시프트 기반 시스템, 효율적인 그래프 기반 분할 시스템은 모두 다양한 이미지 형식에 적용했을 때 일관성이 향상되었음을 알 수 있습니다.

- **k의 다양한 값에 대한 모든 이미지에 대한 평균 성능**

그림 3.17에 표시된 마지막 두 세트의 그래프에서는 사진 모음 전체에 걸쳐 k의 일관성을 조사합니다. 각 그래프는 특정 시간을 가진 사진 컬렉션에 이 접근법을 적용했을 때의 성능을 나타내며, 각점은 해당 그래프에 대한 특정 k를 나타냅니다. 그래프는 시간대에 사용할 수 있는 가능성 풀에서 일반적인 선택의 예이며, 전체 그래프는 여기에서 볼 수 있습니다. 다시 한 번, 두 가지 접근 방식을 조합하면 안정성이 향상될 뿐만 아니라 성능도 개선되는 것을 관찰할 수 있습니다. 효율적인 그래프 기반 세그멘테이션은 이미지 세트 전체에서 평균과 표준편차가 더 크지만, 하이브리드 기법은 시간 값이 낮을수록 평균이 훨씬 높고 표준편차가 훨씬 작습니다. 이점은 사진 세트에 대해 두 알고리즘을 대조할 때 특히 유의해야 할 사항입니다.

- **세분화 평가 결론**

이 섹션에서는 이미지 분할 알고리즘과 NPR 지수를 비교하기 위한 프레임워크를 제안했으며, 이 방법론을 활용하여 한 가지 비교도 완료했습니다. 정확도, 매개변수 선택에 대한 안정성, 사진 선택에 대한 안정성은 다양한 세분화 방법의 효과를 평가할 때 트위터의 기술에서 고려하는 세 가지 주요 고려 사항입니다.

기대 최대화, 평균 시프트 기반 세분화, 그래프 기반 세분화 방식, 권장 하이브리드 기법 등 네 가지 세분화 알고리즘을 테스트하고 대조하기로 결정했습니다. 기준은 기대 최대화였습니다. 데이터 세트에 적용했을 때, 처음 세 가지 알고리즘은 매개변수를 적절히 선택한다면 동등한 수준의 성공에 도달할 수 있는 잠재력을 가지고 있습니다. 그러나 다양한 파라미터 세트에 대한 결과를 평균한 실험 결과를 살펴보면, 하이브리드 알고리즘이 평균 시프트 알고리즘보다 약간 더 나은 성능을 보였으며, 이 두 알고리즘 모두 그래프 기반 세분화보다 훨씬 더 나은 성능을 보였습니다.

이는 다양한 파라미터 세트에 대한 결과를 평균화하여 각 알고리즘의 성능을 다른 알고리즘과 비교한 실험 결과를 살펴보면 알 수 있습니다. 우리는 평균 시프트 필터링을 적용하는 단계가 실제로 유익하다는 결론에 도달할 수 있는 위치에 있습니다. EM은 최고 성능과 평균 성능 모두에서 다른 알고리즘에 비해 상당히 저조한 성적을 보였는데, 이는 기대치를 고려할 때 예상된 결과였습니다.

하이브리드 알고리즘은 k 값이 증가함에 따라 개선 수준이 감소했음에도 불구하고 평균 시프트 세분화 방법에 비해 매개변수를 수정할 때 변동성이 적었습니다. 이는 k 값을 증가시킴에 따라 개선 수준이 높아졌음에도 마찬가지였습니다. k를 5로 설정했을 때 그래프 기반 세분화는 매우 낮은 수준의 변동성을 보였지만, k의 값을 변경하면 세분화의 안정성이 크게 떨어졌습니다.

마지막으로, 사진 전체에서 단일 매개변수 선택의 일관성 측면에서 그래프 기반 접근 방식은 k가 5일 때 변동성이 최소화되지만, k의 값이 변경되면 성능과 안정성이 모두 빠르게 저하된다는 것을 알 수 있습니다. 이는 그래프 기반 접근 방식이 매개변수 간의 선형 관계를 기반으로 하기 때문입니다.

하이브리드 기법과 평균 시프트 세분화 간에는 큰 차이가 없으며, 두 기법은 서로 상당히 유사합니다. 평균 시프트 세분화 알고리즘과 하이브리드 세분화 알고리즘 모두 광범위한 파라미터를 사용하여 사실적인 세분화를 생성할 수 있지만, 하이브리드 방식이 평균 시프트 접근 방식보다 안정성이 약간 더 높다는 결론에 도달했습니다. 그 결과 하이브리드 알고리즘이 우리가 조사한 블랙박스 세분화 접근법 중 가장 성공적인 것으로 간주됩니다. 그러나 어떤 알고리즘도 안정적이거나 인간의 이성과 유사한 방식으로 세그먼트를 생성하지는 못했습니다.

이런 일이 일어날 수 있는 방법은 없었습니다. 세분화 과정을 조사할 때, 우리는 다른 접근 방식과 동등한 매개변수를 가진 기법에 집중했습니다. 실험 설정 방식 때문에 모든 기법을 비교할 수는 없었습니다. 여기에는 정규화된 컷을 활용한 비교도 포함되는데, 이 경우 생성할 영역의 총 개수가 입력으로 필요하지만 이러한 비교도 수행할 수 없었습니다. 위에서 설명한 알고리즘의 대역폭을 조정하면 전체 영역 수에 변화가 생기지만, 특정 영역 수를 얻기 위해 어떤 매개변수를 조정해야 하는지는 명확하지 않습니다.

예를 들어, hr 또는 k를 단독으로 또는 조합하여 변경하면 예를 들어 20개의 영역으로 세그먼트가 생성되는 경우 어떤 변수를 사용해야 할까요? 또한 앞서 설명한 실험에서 좁은 대역폭을 사용하면 매우 많은 수의 영역을 포함하는 세그먼테이션이 생성되는 경우가 많다는 것을 발견했습니다. 반면에 극도로 많은 수의 영역을 포함하는 정규화된 컷 세그먼테이션을 생성하는 것은 계산 비용이 매우 많이 듭니다. 이러한 이유로 정규화된 컷 알고리즘에 대한 추가 정보는 아래에서 설명하는 다른 비교를 참조하면 됩니다.

- **세분화 알고리즘에 대한 기타 평가**

이미지 분할을 위한 새로운 알고리즘을 소개할 때, 대부분의 출판물은 상대적으로 제한된 사진 컬렉션에서 알고리즘의 성능에 대한 주관적인 시각적 평가만을 제시합니다. 이는 테스트에 사용할 수 있는 이미지의 수가 매우 적기 때문입니다. 이러한 평가는 가능한 세분화 문제를 어느 정도 조명할 수 있지만, 연구 결과를 정량화할 수는 없습니다.

선행 연구에 따르면 육안 검사가 항상 신뢰할 수 있는 것은 아닙니다. Shaffrey 등이 제안한 바에 따르면, 인간 참가자는 각 이미지에 대해 가장 적합한 그룹 세분화를 선택하도록 요청받게 됩니다. 이것은 제안에 따라 수행됩니다. 이는 매우 매력적인 개념이지만, 안타깝게도 새로운 알고리즘이 추가될 때마다 동일한 사람이 테스트에 참여해야 하기 때문에 어떤 방식, 형태, 형태로든 실행할 수 없습니다. 따라서 이 아이디어를 어떤 방식으로든 사용할 수 없습니다.

Martin은 자신의 연구에서 LCE 측정법을 사용하여 사람들이 이미지 세분화가 허용될 때 이미지 세분화에 동의하는지 여부를 조사합니다. 그는 개인이 합의에 도달할 수 있는지 여부를 알아내는 데 관심이 있습니다. 버클리 데이터베이스의 실측 데이터 세분화를 기반으로 한 그의 결론은 세분화할 수 있는 지점까지 일관성이 있다는 것입니다. 이 결론은 세분화가 세분화되었다는 사실에 근거합니다.

그럼에도 불구하고 LCE 측정은 어떤 식 으로든 세분화에 불이익을 주지 않기 때문에 사람들이 사물에 대한 다른 해석을 가지고 있는지 여부에 대한 주제에 대해 결론을 내릴 수 없습니다. 사실, 버클리 데이터베이스에서 추출한 많은 사진과 세분화에서 알 수 있듯이 사람의 세분화는 서로 상당히 다를 수 있으며, 이는 염두에 두어야 할 중요한 사항입니다.

다수의 연구자들이 지역 경계 내에서 달성할 수 있는 정확도의 수준을 조사하기 위해 실험을 진행하고 있습니다. 이러한 실험의 결과는 버클리 데이터베이스 사이트에 자세히 설명되어 있습니다. 어떤 알고리즘이 인간 물체 경계 지도의 상위 집합인 에지 맵을 생성하는지 보는 것은 흥미로운 일입니다. 한편, 이와 같은 비교는 어떤 면에서 우리의 비교와 다르다는 점을 염두에 두어야 합니다. 기계 생성 맵은 에지 맵 사이에서만 비교가 이루어지기 때문에 닫힌 윤곽을 생성할 필요가 없지만, 그럼에도 불구하고 이러한 맵을 세그먼테이션으로 변환하는 것은 더 어렵습니다.

비교는 에지 맵 사이에서만 이루어집니다. 또한 앞서 설명한 것처럼 경계 맵의 정밀도를 평가하는 데 사용되는 메트릭은 실측 데이터에 좋은 맵이 없는 에지 조각의 품질을 무시하며, 이러한 에지 조각의 무작위 순열은 동일한 점수를 부여합니다. 이는 경계 맵 자체의 정밀도를 평가하는 데 동일한 메트릭이 사용되기 때문입니다.

Sowerby 데이터 세트에 적용된 다양한 세분화 접근법을 비교한 결과는 다음에 제시되어 있습니다. 실행에 걸리는 시간 등 알고리즘의 다른 측면을 고려해야 한다는 이들의 아이디어는 생각하기에 흥미로운 내용입니다. 하지만 아직 이러한 속성에 대한 포괄적인 목록이나 측정값이 만들어지지 않았다는 점은 인정하고 있습니다. 이 외에도 수많은 특성의 선형적 조합을 만들어내는 것이 매우 어려울 수 있다고 합니다. Ge 등은 세분화의 어려움을 수치적 표현의 문제로 볼 수 있다고 말합니다. 이들은 각 사진에 뚜렷하고 중앙에 위치하며 지배적인 물체가 있는 1023장의 사진으로 구성된 벤치마크 데이터 세트를 구축한 다음, 사진에 명확하고 모호하지 않은 그림-그라운드 구분을 사용하여 레이블을 지정합니다. 그런 다음 벤치마크 데이터 세트를 사용하여 여러 이미지 인식 알고리즘을 테스트합니다.

또한 데이터 수집에서 모든 색상을 제거하여 궁극적으로 사진을 회색조로 만드는 의심스러운 관행에 관여합니다. 이들은 작업하는 데이터 세트의 비교적 단순한 특성으로 인해 두 데이터 세트가 겹치는 정도에 따라 세분화의 정밀도를 평가합니다. 이 연구진은 우리가 사용하는 세분화 기법 외에도 몇 가지 다른 세분화 기법을 검토하지만, 그들이 사용하는 평가 접근 방식은 결정적인 것으로 간주할 수 있는 결과에 도달하지 못합니다. 연구 논문에서 말리시에비치와 에프로스는 각 기법에 대해 다양한 매개변수 옵션을 사용할 수 있을 때 세분화가 객체를 정확하게 나타낼 수 있는지 여부에 대한 문제를 조사합니다. 특히 여러 대의 카메라를 사용하여 이미지를 생성한 경우를 살펴봅니다. 또한 최대 세 개의 서로 다른 영역을 조합하면 단일 영역보다 더 높은 수준의 정밀도로 사물을 제안할 수 있는지 여부에 대해서도 연구합니다. 연구 결과는 다음 섹션에서 자세히 설명합니다.

- **물체 인식 프레임워크의 동기**

당신은 연구자로서 매우 훌륭한 내용을 가지고 계시군요! 다만, 몇 몇 부분에서 조금 더 자연스러운 문장으로 편집이 필요해 보입니다. 아래는 수정된 텍스트입니다:

그림 3.9는 평균 시프트 방법, 효율적인 그래프 기반 알고리즘, 그리고 하이브리드 알고리즘의 최대 성능을 비교한 실험 분석 결과를 보여줍니다. 안타깝게도, 이번 평가의 목표 중 하나였던 사람이 만든 세그먼트와 동등한 수준의 세그먼트를 안정적으로 생성하는 알고리즘이 단 하나도 없었습니다. 사람과 동일한 방식으로 이미지를 세분화하려면 '사물'에 대한 사람과 동등한 이해가 필요하다는 점을 고려하면 이는 그리 놀라운 일이 아닙니다. 말리시에비치와 에프로스는 앞의 두 알고리즘과 정규화된 컷을 기반으로 한 세그먼테이션에 대해 동일한 결론에 도달했습니다. 말리시에비츠와 에프로스는 MSRC 21급 데이터 세트에서 실험을 수행하여 비교한 세 가지 알고리즘 중 어느 알고리즘도 사람이 표시된 객체와 정확하게 일치하는 하나의 영역을 일관되게 제공할 수 없음을 입증했습니다. 그림 3.1에 제시된 버클리 세분화 데이터베이스에서 가져온 샘플에서 알 수 있듯이, 사람조차도 사진의 '적절한' 세분화에 대한 합의에 도달할 수 없다는 사실 때문에 이 문제는 더욱 복잡해집니다.

이 샘플은 이 문제가 얼마나 복잡한지를 잘 보여줍니다. 우리는 사진 분할을 블랙박스 전처리 단계로 사용하는 것이 아니라, 사진 분할의 강점을 활용하고 부족한 부분을 보완할 수 있는 방법을 고민합니다. 즉, 잠재력을 극대화하기 위해 노력합니다. 이를 통해 우리는 무력한 상황에 처하는 것을 피하고 잘못된 세분화 결과의 영향을 받는 상황에 놓이는 것을 피할 수 있습니다.

실험 결과에 따르면 특정 사진에 대한 분할 알고리즘의 효율성은 매개변수에 따라 달라지며, 모든 사진에 전반적으로 효과적인 하나의 매개변수 세트는 존재하지 않습니다. 이는 보편적으로 적용할 수 있는 파라미터 조합이 없다는 것을 의미합니다. 예시로 제공한 세그먼트에서 볼 수 있듯이, 이러한 변화의 대부분은 형성되는 영역의 세분성에서 기인할 수 있습니다. 작은 영역을 과도하게 많이 생성하거나 큰 영역을 부적절하게 많이 생성하면 페널티가 부과됩니다. 반면에 이 변형에는 여러 가지 유리한 특징이 있습니다.

작은 영역은 이러한 구조가 다른 이미지 정보에 가려지는 것을 방지하므로 식별 가능성이 높은 사소한 사진 구조를 포착할 수 있습니다. 물체와 배경을 모두 포함하는 영역은 특정 물체를 식별할 수 있는 컨텍스트를 제공하지만, 전체 물체 섹션을 캡처하는 영역은 물체와 배경만 포함하는 영역보다 물체를 더 전체적으로 묘사할 수 있습니다. 항목의 전체 구성 요소를 캡처하는 영역은 사물을 더 정확하게 묘사하는 데 기여합니다. 이러한 다중 스케일 정보를 수집하고 오브젝트 가장자리가 세그먼트 가장자리 집합에 실제로 포함되도록 하는 가장 좋은 방법은 각 사진에 대해 여러 세그먼테이션을 생성한 다음 각 세그먼트에서 영역을 유지하는 것이라는 결론에 도달했습니다.

이를 통해 객체 가장자리가 실제로 세분화 가장자리 모음에 포함되어 있는지 확인할 수 있습니다. 6장에서는 평균 이동 알고리즘으로 생성된 세 가지 분할을 활용하고 다양한 파라미터를 활용하여 영역 설명자와 분류 접근법의 효율성을 조사합니다. 이는 원하는 결과를 얻는 데 가장 효과적인 매개변수를 결정하기 위해 수행되었습니다. 말리시에비츠와 에프로스가 수행한 연구와 더불어 우리의 연구는 평균 시프트 세그먼테이션을 사용하면 다중 규모 정보를 수집하는 데 필요한 분산은 유지하면서 유망한 결과를 얻을 수 있음을 입증했습니다. 이는 세 연구팀이 모두 도달한 결론입니다. 말리시에비치와 에프로스는 무엇보다도 여러 알고리즘의 결과물인 세분화를 사용하는 것이 실제로는 단일 세분화 방법을 단독으로 사용하는 것보다 훨씬 더 효과적일 수 있다는 사실을 보여주었습니다.

이러한 연구결과는 흥미롭습니다. 세분화를 위한 다양한 전략이 각각 고유한 단점을 가지고 있다는 사실을 고려하면 이 발견은 완벽하게 이해가 됩니다. 따라서 우리는 7장에서 다중 세분화 프레임워크를 확장하여 평균 이동, 효율적인 그래프 기반 및 정규화된 컷 알고리즘을 사용하도록 하고, 더 많은 매개변수 집합을 사용하는 방법을 소개했습니다. 이는 데이터를 더 잘 분석하기 위한 것입니다. 실험 결과, 사진이 과도하게 세분화되는 경우가 많다는 사실도 밝혀졌습니다.

이는 두 가지 이유 중 하나에서 발생할 수 있습니다. 사진에 복잡하고 수많은 개별 부분으로 구성된 물체가 있거나 세그먼테이션 방법을 수행하는 데 사용된 매개변수가 최적이 아니었기 때문입니다. 테스트 결과 대부분의 경우 전체 오브젝트 마스크는 여러 개의 서로 다른 영역이 결합하여 생성될 수 있으며, 이는 다행스러운 발전입니다. 연속적인 분할로 형성된 영역의 '수프'에서 최대 3개의 영역을 결합하여 객체 마스크를 형성하도록 허용함으로써 항목의 예측 위치와 실제 위치 간에 높은 수준의 유사성에 도달할 수 있다는 것을 발견했습니다. 이는 영역들을 하나의 객체로 결합할 수 있도록 허용함으로써 달성할 수 있었습니다.

즉, 무슨 일이 일어나고 있는지 이해하기 위해서는 특정 영역 내부와 그 주변 영역에서 정보를 얻는 방법이 필요합니다. 5장에서는 지역 기반 컨텍스트 기능(RCF)이라고 하는 새로운 종류의 영역 설명자를 소개합니다. 이 특정 범주의 영역 설명자는 영역 내부에 존재하는 이미지 구조와 영역을 둘러싸고 있는 영역에 존재하는 이미지 구조로부터 단일 영역 설명자를 생성합니다. 이러한 방식으로 RCF는 이미지 컨텍스트를 제공할 뿐만 아니라 다른 객체 영역의 정보를 암시적으로 포함합니다. 또한 8장에서는 랜덤 필드 공식을 통해 인접한 영역의 정보를 명시적으로 결합합니다.

- **기여**
  - ✓ 여러 분할 알고리즘을 평가하고 비교하기 위한 프레임워크로, 분할 알고리즘이 블랙박스로 사용되기 위해 필요한 속성에 대한 설명과 이러한 속성을 평가하는 데 필요한 실험에 대한 설명을 포함합니다. 여러 세분화 알고리즘의 평가 및 비교는 이 프레임워크 내에서 수행됩니다. 세분화 방법이 화이트 박스로 활용되기 위해 필요한 품질에 대한 사양도 프레임워크에 추가 구성 요소로 포함됩니다.
  - ✓ 세분화 알고리즘의 효율성을 평가하기 위한 새로운 지표로,

Ranjith Unnikrishnan과 함께 작업하는 과정에서 "정규화된 확률적 랜드 지수"(NPRI)라는 이름을 생각해 냈습니다. 이 지수는 알고리즘이 얼마나 효과적으로 작동하는지를 측정하는 지표입니다.

✓ 제안한 프레임워크와 관련하여 네 가지 세분화 알고리즘의 효율성을 검토한 결과입니다.

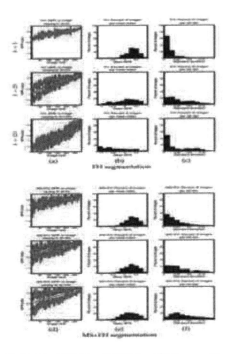

그림2.11. 상수k로 설정된 매개변수 세트hr = {3, 7, 11, 15, 19, 23}에 대해 개별 이미지에서 달성한 평균NPR 지수를 설명함. 효율적인 그래프 기반 분할 시스템(FH)에 대한 결과는 열(a), (b) 및(c)에 제시됨, 하이브리드 세분화 시스템(MS+FH)의 결과는 열(d), (e) 및(f)에 제시됨. 열(a)와(d)는 각 이미지에서 개별적으로 얻은 평균 인덱스를 인덱스가 높아질수록 순서대로 표시하고 하나의 표준 편차, 열(b) 및(e)는 평균의 히스토그램을 보여줌. 열(c)와(f)는 표준 편차의 히스토그램을 보여줌.

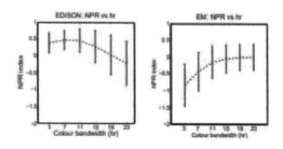

그림3.12. 이미지 세트에 대한 각 컬러
대역폭(시간)에서 달성한 평균NPR 지수(표준 편차
포함) 이미지 세트에 대해 달성한 각 색상
대역폭(시간)의 평균NPR 지수(표준편차1)를 나타냄.
왼쪽 플롯은EDISON 분할 시스템의 결과를, 오른쪽
플롯은EM의 결과를 보여줌.

그림3.13. 효율적인 그래프 기반 분할을 사용한 다양한 파라미터
에 대한 분할 품질 예시: (a) 원본 이미지, (b)-(d)는 공간 정규화
계수hs = 7, 색상 정규화 계수hr = 7, k 값 각각5, 25, 125를
사용한 효율적인 그래프 기반 분할임.

(a)   (b)   (c)   (d)   (e)   (f)   (g)

그림2.14. 먼저 평균 시프트 필터링을 수행한 다음 효율적인 그래프 기반 분할을 수행하는 하이브리드 분할 알고리즘을 사용한 다양한 파라미터에 대한 분할 품질 예시: (a) 원본 이미지, (b)-(g) 공간 대역폭hs = 7 및 색상 대역폭(hr) 및k 값 조합(각각3, 5, (3, 25, (3, 125), (15, 5, (15, 25, (15, 125))을 사용한 분할임.

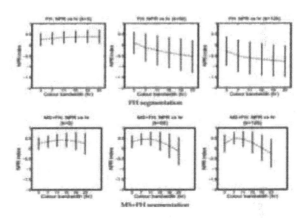

그림2.16. 이미지 세트에 대한 각 색상 대역폭hr = {3, 7, 11, 15, 19, 23}의 평균NPR 인덱스. k = {5, 25, 50, 75, 100, 125}로 실험을 실행했으며, k = {5, 50, 125}의 대표적인 하위 샘플을 보여줌. 맨 위 줄의 플롯은 효율적인 그래프 기반 세그먼테이션을 사용하여 효율적인 그래프 기반 세분화(FH) 시스템을 사용하여 얻은 결과를 보여줌. 아래 줄의 플롯은 하이브리드 세분화(MS+FH) 시스템을 사용하여 얻은 결과를 보여줌.

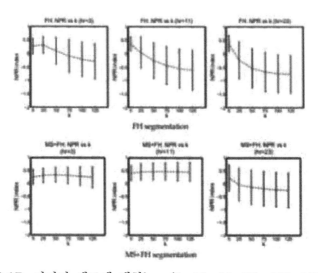

그림2.17. 이미지 세트에 대한k = {5, 25, 50, 75, 100, 125}의 평균NPR 인덱스. 각 시간 값에 대해 하나의 플롯이 표시됨. 실험은hr = {3, 7, 11, 15, 19, 23}으로 실행되었으며, 여기서는 hr = {3, 11, 23}의 대표적인 하위 샘플을 보여줌. 맨 위 줄의 플롯은 효율적인 그래프 기반 분할(FH) 시스템과 세분화(FH) 시스템을 사용하여 얻은 결과를 보여줌. 아래 줄의 플롯은 하이브리드 세분화(MS+FH) 시스템을 사용하여 얻은 결과를 보여줌.

3장. 이미지 처리의 로컬 세그멘테이션

3.1 서론

3장에서는 이미지 처리의 하위 수준에서 발생하는 다양한 문제에 대해 다루며, 로컬 분할을 활용한 효율적인 솔루션을 제안합니다. 이 접근 방식은 목표 달성을 위한 하나의 방법으로써, 사진을 여러 위치에서 구성 요소로 분해합니다. 픽셀을 올바르게 처리하기 위해서는 먼저 해당 픽셀이 속한 로컬 영역을 로컬 분할 원칙에 따라 분할해야 합니다. 이는 불필요한 정보를 제거하기 위한 필수 단계임을 명심해야 합니다. 이러한 접근으로 사진 내 로컬 구조를 스냅샷으로 얻게 되어 이미지 내 노이즈에서 신호를 쉽게 식별할 수 있게 됩니다.

발견된 구조 정보는 이미지 노이즈 제거, 픽셀 분류, 에지 감지, 픽셀 보간과 같은 다양한 이미지 처리 작업을 수행하는 데 활용될 것으로 기대됩니다. 이러한 작업은 이 정보를 활용할 수 있는 응용 분야로 구상된 작업 중 일부에 불과합니다. 그림 3.1에서 볼 수 있듯이, 국소 분할은 보고 있는 대상에 대한 더 나은 지식을 얻는 과정에서 사용될 수 있는 여러 가지 방법 중 하나에 불과합니다. 이러한 접근 방식에는 다음이 포함됩니다: 로컬 세분화는 가장 근본적인 수준에서 작동하는 전략에 부여된 용어입니다.

이 기술은 제한된 수의 픽셀을 사용하여 현재 작업 환경에 완전히 국한된 방식으로 목표를 달성합니다. 글로벌 세그멘테이션으로 알려진 보다 고급 수준의 세그멘테이션의 목적은 이미지 전체에서 추출한 중요한 픽셀을 함께 클러스터링하는 것입니다. 이 목표를 달성하려면 먼저 사진을 보다 철저한 방식으로 세분화해야 합니다. 가장 높은 수준은 객체 인식으로, 글로벌 세그먼트를 실제 세계에서 관심 있는 항목을 반영하는 논리적 단위로 결합하여 달성할 수 있습니다.

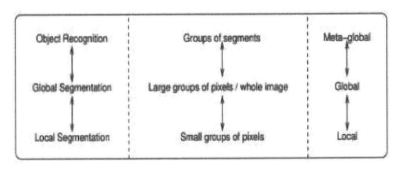

그림3.1 이미지 처리 계층 구조

마지막이자 가장 어려운 단계는 물체 인식입니다. 앞서 설명한 로컬 세그먼테이션 접근 방식에는 중요한 추가 구성 요소가 있는데, 바로 세그먼테이션 알고리즘입니다. 세그먼테이션 프로세스에 사용되는 대부분의 알고리즘은 이미지 전체 또는 이미지의 상당 부분을 대상으로 작동할 수 있도록 개발되었습니다. 이러한 알고리즘이 니무 많기 때문에 로컬 세그먼테이션을 수행할 때는 더 큰 세그먼트의 하위 부분인 제한된 수의 픽셀만 사용할 수 있습니다. 따라서 로컬 세그먼테이션 알고리즘은 작업할 리소스가 적고 고려해야 할 상황의 측면이 적다는 점에서 다릅니다. 다음 섹션(3.2)에서는 글로벌 세분화 기술을 로컬 세분화에 사용할 수 있는지 여부를 결정할 것입니다. 이미지 처리에 대한 일부 기술은 어떤 방식으로든 로컬 세분화 개념을 사용한다고 말할 수 있으며 이러한 접근 방식에 대해 언급할 수 있습니다. 이것은 이미지 처리에 대한 특정 접근 방식에 대해 주장할 수 있는 것입니다. 로컬 분할이라는 개념은 대부분의 시나리오에서 명시적으로 표현되지 않으며, 관련 알고리즘을 구축하는 과정에서 기본 원칙으로 사용되지도 않습니다. 이 중 어느 것도 사실이 아닙니다. 그 예로 손실이 있는 것으로 간주되는 블록 잘림 코딩(BTC)[FNK94]으로 알려진 이미지 압축 기술을 들 수 있습니다. BTC는 기본적인 임계값 방법을 사용하여 픽셀 블록을 두 그룹으로 나눌 수 있지만, 다른 분할 전략이 연구되기까지 몇 년이 걸렸습니다. 다음 파트(3.3)에서는 현재 배포되고 있는 로컬 세그멘테이션 기반 접근 방식의 몇 가지 다른 사례를 살펴볼 것입니다. 대부분의 경우, 원시 사진 데이터와 가장 먼저 상호 작용하는 이미지 처리 단계는 로컬 세그먼테이션을 수행하는 데 가장 적합한 단계이기도 합니다. 하나 이상의 형태의 노이즈가 존재하기 때문에 이 정보의 정확도가 떨어지는 경우가 많습니다. 로컬 세그먼테이션을 기반으로 하는 알고리즘의 중요한 품질은 실제로 가능한 한 많은 이미지 구조(유용하게 사용할 수 있는 정보)를 유지하면서 동시에 실제로 가능한 한 많은 노이즈(유용하게 사용할 수 없는 정보)를 최소화하거나 제거할 수 있어야 한다는 것입니다. 예를 들어, 구조를 인식할 수 있다는 것은 노이즈도 인식할 수 있다는 것을 의미하며, 그 반대의 경우도 마찬가지입니다.

노이즈가 있는 이미지에서 원하지 않는 구조를 제거하는 것은 이미지 노이즈 제거 분야에서 성공한 알고리즘의 주요 초점입니다. 이 프로그램은 오랫동안 사용되어 왔으며, 아마도 국소 분할을 설명하는 가장 훌륭한 저수준 기술일 것입니다. 또한 매우 간단한 응용 프로그램입니다. 다음 파트(3.4)에서는 기존 노이즈 제거 알고리즘이 이 논문에서 언급한 개념을 어느 정도 활용하고 있는지 살펴보겠습니다. 이러한 아이디어에는 다음이 포함됩니다: 최근 몇 년 동안 최첨단 노이즈 제거 알고리즘이 점점 더 로컬 세분화 전략으로 기울고 있다는 사실이 밝혀졌습니다. 이 장을 다 읽고 나면 몇 가지 주제가 계속 떠오른다는 것을 알 수 있을 것입니다. 이미지 처리 영역은 광범위한 알고리즘 기술을 다루는 큰 영역입니다. 이미지 처리는 디지털 사진을 다루는 분야이기 때문입니다.

동일한 문제 영역에 여러 가지 전략을 적용하여 얻은 결과를 의미 있게 비교하는 것은 어려울 수 있습니다. 이는 비교에 사용할 수 있는 객관적인 기준이 거의 없고, 테스트의 기준으로 사용할 수 있는 데이터가 부족하며, 간단히 말해서 각 시스템마다 고유한 목표와 요구사항이 있기 때문입니다. 일부 접근 방식은 기본 가정의 품질을 고려하지 않고 다른 분야에서 잘못 복사한 경우가 많으며, 그 기법이 우연적입니다. 어떤 방식은 무작위적인 방식으로 개발되었습니다.

이러한 방법을 총칭하여 애드혹 기법이라고 합니다. 데이터에 따라 다르지만 사용자의 입력이 필요하고 이미지 자체에서 자동으로 학습할 수 없는 조정 가능한 매개변수가 하나 이상 있는 방법도 있습니다. 일부 매개변수는 사진 자체에서 자동으로 학습할 수 없기 때문에 사람의 입력이 필요합니다. 사용자는 언제든지 이러한 설정을 수동으로 변경할 수 있습니다. 이 논문에서 제시된 작업이 어떤 식으로든 기존 상황을 개선하는 데 기여할 수 있기를 바랍니다.

3.2 글로벌 세그먼테이션

이미지가 주어진 술어를 기준으로 유사한 픽셀 그룹으로 나뉘면 이미지가 분할됩니다. 이러한 분할은 세그먼테이션 프로세스 중에 발생합니다. 각각의 개별 그룹은 명명 규칙에 따라 세그먼트라고 불립니다. 서로 다른 두 세그먼트가 서로 교차하는 것은 규칙에 위배되며, 인접한 세그먼트는 서로 구별되어야 합니다[PP93]. 세그먼트가 완전한 것으로 간주되기 위해 세그먼트를 구성하는 픽셀이 물리적으로 서로 연결될 필요는 없습니다. "클러스터링"이라는 용어는 동질성 술어에 의존하지만 공간 정보를 고려하지 않는 세그먼트 분할 방법을 설명하는 데 자주 사용됩니다[HS85].

클러스터링 알고리즘을 사용하여 생성된 세그먼트 그룹을 클러스터로 지칭하는 것이 일반적인 관행이지만, 그럼에도 불구하고 이러한 세그먼트 그룹은 여전히 합법적인 세그먼트 그룹으로 간주됩니다. 글로벌 세그멘테이션은 전체 이미지를 구성 요소로 분리하는 프로세스를 말합니다. 로컬 세그멘테이션은 이미지를 구성 요소 하위 이미지로 분리하는 프로세스로, 전체 이미지의 작은 보기로 생각할 수 있습니다. 이 프로세스를 이미지 분할이라고 합니다. 하위 이미지는 여전히 그 자체로 이미지이지만, 나머지 이미지와 독립적으로 처리되는 더 큰 장면의 구성 요소이기도 합니다. 이는 서브이미지가 그 자체로 독립적인 이미지이기 때문입니다. 그림3.2는 이러한 상황이 초래한 예기치 못한 영향 중 하나를 보여줍니다. 두 개의 주요 섹션으로 나눌 수 있는 이 이미지에는 검은색 배경에 선명한 십자가가 배치되어 있습니다. 모든 섹션은 일관성이 있으며 어떤 식으로든 이전 또는 다음 섹션으로 거슬러 올라갈 수 있습니다.

비슷한 방식으로 하위 이미지는 배경 위에 겹쳐진 십자가로 구성되지만, 이'배경'은 실제로는 세계의 다른 지역에 물리적으로 위치한4

개의 픽셀로 구성됩니다. 더 많은 정보에 액세스하지 않고는 이들을 어떻게 분류해야 할지 결정하기 어렵기 때문에 하나의 섹션으로 간주할지 아니면 네 조각으로 나눌지 결정하기 어렵습니다. 만약 픽셀의 강도에만 의존하는 클러스터링 기법을 사용했다면, 픽셀은 하나의 세그먼트로 함께 묶여 있을 것입니다.

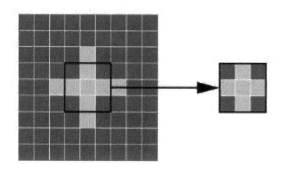

그림3.2: 두 개의 세그먼트가 있는 이미지 중앙에서 가져온 하위 이미지

로컬 세그먼테이션에 액세스할 수 있는 픽셀의 양은 대부분의 글로벌 세그먼테이션 알고리즘이 예상하는 픽셀의 양과 비교할 때 훨씬 적은 수입니다. 이는 일반적으로 충족될 것으로 예상되는 고유 세그먼트의 수에 영향을 미칩니다. 그레이스케일 이미지는 꽤 많이 사용되며, 그림3.3a에서 Lenna라는 이미지의 예를 볼 수 있습니다. 그림3.3b는 Lenna의 각 픽셀에 대해 해당 픽셀을 중심으로 한

하위 이미지의 표준 편차를 플롯한 이미지를 보여줍니다. 표준 편차 범위는 0에서 72까지이며, 여기서는 검은색에서 흰색까지의 강도를 사용하여 표시했습니다.

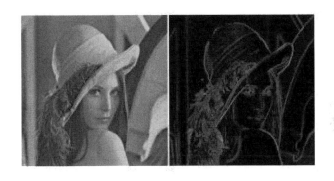

그림3.3: (a) 원본 이미지, (b) 로컬 표준 편차,
검은색은0, 흰색은72를 나타냅니다.

원본 이미지의 경계는 표준 편차 그림에서 더 밝은 부분을 담당하는 반면, 균질 영역은 표준 편차 그림에서 더 어두운 부분을 담당합니다. 그림3.3b의 대부분은 짙은 회색으로 표현되어 있습니다. 그림3.4는 표준 편차의 히스토그램을 표시하여 보다 쉽게 볼 수 있도록 했습니다. RLU99에 따르면 이 분포는 단모형이며 오른쪽으로 치우쳐 있을 것으로 예상됩니다. 이것이 가장 가능성이 높은 시나리오입니다. 최대값인 2.4는 일관성이 있는 지역 내에서 발견될 수 있는 일반적인 분산 정도와 거의 유사합니다. 일반적으로 발견되는 것보다 높은 변동 수준을 가진 이질적인 가장자리 및 텍스처 영역이 존재하기 때문에 표준 편차가 더 커지는 근본적인 원인이 됩니다. 이러한 영역의 변동 수준은 자연적으로 나타나는 변동 수준을 능가합니다.

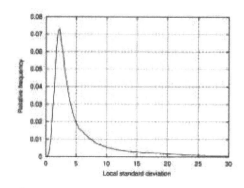

그림3.4: 그림3.3b에 표시된 로컬 표준
편차의 히스토그램.

히스토그램 아래에서 정상 변동 수준에 가깝게 배치된 영역은 스큐와 비교할 때 훨씬 더 많은 공간을 가지고 있습니다. 이는 무작위로 선택된 하위 이미지가 동질적일 가능성이 매우 높다는 것을 보여줍니다. 즉, 분석할 때 단일 세그먼트로만 구성된다는 의미입니다. 동질성은 하위 이미지 내부에 뚜렷한 세그먼트가 없는 것으로 정의할 수 있습니다. 이와는 완전히 대조적으로, 글로벌 세그멘테이션의 관행에는 단일 섹션의 결과에 대한 진단이나 연구조차 거의 포함되지 않습니다. 이는 이전 섹션의 결과와 완전히 대조되는 것입니다. 따라서 로컬 세그먼테이션을 위한 알고리즘은 하위 이미지에 존재하는 총 세그먼트 수를 자동으로 결정할 수 있어야 합니다.

이 절차는 소수의 부분만 존재할 가능성이 있기 때문에 훨씬 덜 어려울 것입니다. 매우 작은 하위 이미지는 개별 조각이 많지 않다는 인상을 줍니다. 글로벌 세그먼테이션 알고리즘은 특정 세그먼트에 허용하기로 결정된 총 픽셀 수보다 적은 픽셀을 포함하는 세그먼트를 허용하지 않는 경우가 많습니다. 이는 과도한 세그먼테이션을 피하기 위한 시도입니다. 따라서 매우 작은 세그먼트를 분석할 수 있는 로컬 세그먼테이션 알고리즘을 개발해야 하며, 그 중 일부는 단일 픽셀로만 구성될 수도 있습니다.

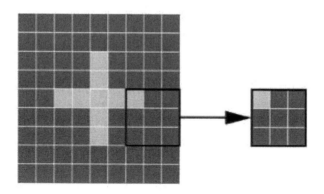

그림3.5: 9×9 이미지의 오른쪽에서 두 개의
세그먼트가 있는3×3 하위 이미지를 가져옵니다.

그림3.5는 더 큰 그림에서 파생된 대체 하위 이미지를 표시합니다.
그림을 클릭하면 이 이미지를 볼 수 있습니다. 단독 픽셀 세그먼트
는 글로벌 세분화 알고리즘에 의해 노이즈로 간주될 수 있지만 로
컬 세분화 알고리즘은 전 세계적으로 처리되고 있는 더 큰 세그먼
트의 일부일 가능성을 고려하여 더 자비로운 태도를 취해야 합니
다. 글로벌 세그먼테이션으로 작업하는 동안에는 총 픽셀 수가 상
당히 많은 세그먼트에 주로 집중하게 됩니다. 그 결과 글로벌 세그
먼트에 대해 투영되는 파라미터 값이 강화되어 변화에 대한 저항력
이 높아집니다.

- 공간 정보 사용 여부

- 작은 하위 이미지에 대한 적합성
- 세그먼트 수를 자동으로 감지하는 기능
- 기본 세그먼트 및 노이즈 모델
- 영역 증가(동질성 식별) 또는 에지 추종(이질성 식별)
- 객관적인 기준 최적화 시도
- 시간 및 공간 복잡성
- 병렬 또는 순차 실행[ros81]

다음 섹션에서는 좋은 로컬 분할 알고리즘의 개발과 관련된 글로벌 분할 알고리즘을 살펴보겠습니다. 다음 섹션은 크게 두 부분으로 나뉩니다. 3.2.1절에서는 클러스터링 기법(비공간 분할)에 대해서만 다루고, 3.2.2절에서는 공간 정보를 통합하는 방법을 다룹니다.

3.2.1 클러스터링

클러스터링은 세분화의 다른 용어입니다만, 세분화와 달리 클러스터링에는 지리적 정보가 사용되지 않습니다. 클러스터링은 전자 컴퓨터가 만들어지기 훨씬 전부터 수치 분류 및 다변량 분석에 적용되었습니다[Fis36]. 각각의 픽셀 값을 독립 변수로 취급함으로써, 처음에는 다른 영역에 적용하기 위해 만들어진 클러스터링 알고리즘이 이미지 처리에 사용되도록 용도가 변경되었습니다. 예를 들어,

색상 픽셀은 각각 세 가지 식별 특성이 있으며, 각 픽셀을 3차원 공간의 한 점으로 생각할 수 있습니다. 픽셀은 개별 정보 비트를 나타내는 데에도 사용할 수 있습니다. 이 다변량 공간에서 클러스터링 프로세스는 개별 픽셀을 더 큰 그룹으로 축소하여 수행됩니다.

그레이 스케일로 표현된 강도 데이터로 작업할 때, 데이터를 그룹으로 단순화하기 위한 초점은 임계값을 계산하는 보다 기본적인 문제로 이동할 수 있습니다. 모든 임계값은 데이터에서 서로 인접한 위치에 있는 클러스터를 구분하는 선 역할을 하는 강도 측정값입니다. 대부분의 경우, 특정 강도 값 j가 임계값으로 지정된 이미지의 각 픽셀에 할당되며, 이 특정 강도는 수학적 표기로 식 (3.1)로 나타낼 수 있습니다.

$$t_M(x,y) = \begin{cases} L_1 & \text{if} & f(x,y) \leq T_1 \\ L_2 & \text{if } T_l & < f(x,y) \leq T_2 \\ & \vdots & \\ L_{i+1} & \text{if } T_i & < f(x,y) \leq T_{i+1} \\ & \vdots & \\ L_M & \text{if } T_{M-1} < f(x,y) \end{cases} \qquad \textbf{(3.1)}$$

임계값 접근 방식은 서로 다른 세그먼트들이 값의 강도 차이로 인해 서로 다른 그룹으로 형성된다는 아이디어에 기반합니다. 이것이 이 방법이 작동하는 기초입니다. 이 방법은 피사체 수가 제한되어 있고 이미지 전체의 노이즈 수준이 일반적으로 낮은 사진에 특히 효과적입니다. 세그먼트 간에 다양성이 크거나 전체적으로 세그먼트 수가 많으면 세그먼트의 픽셀 값 분포가 서로 겹칠 가능성이 커집니다.

이로 인해 히스토그램의 깊이가 눈에 잘 띄지 않거나 완전히 사라질 수도 있습니다. 로컬 규모에서는 소수의 세그먼트만 예상되는 경우, 임계값은 빠르고 쉽게 적용할 수 있기 때문에 로컬 세그먼테이션에 적합한 선택입니다. 임계값 접근 방식은 다양한 동질성 기준에 사용될 수 있지만, 한 가지 명심해야 할 필수 조항이 있습니다. 한 클러스터에서 사용된 강도가 다른 클러스터에서는 활용되지 않을 수 있다는 점입니다.

- 이진 임계값

이미지 처리 분야에서 '임계값'으로 알려진 기술은 사용 가능한 모든 옵션 중에서 가장 표준적이고 복잡하지 않으며 오랜 시간 테스트를 거친 것으로 간주됩니다. 스레숄딩에 대한 대부분의 연구는 픽셀을 객체 또는 배경으로 분류하는 것에 관한 것이었습니다. 이 현상을 바이너리 임계값이라고 하며, 바이너리 레벨 임계값이라고도 합니다. 다단계 스레숄딩 기법은 3개 이상의 클래스를 처리하는 알고리즘입니다.

'다단계 임계값 설정'이라는 문구는 이러한 다양한 접근 방식을 모두 하나의 포괄적인 용어로 지칭할 수 있도록 개발되었습니다. 대부분의 하위 이미지가 다른 하위 이미지와 유사한 모양을 가질 것으로 예상됩니다. 따라서 두 번째로 발생할 가능성이 높은 조건은 두 개의 서로 다른 세그먼트로 구성된 하위 이미지라는 결론에 도달할 수 있습니다. 이 경우 이 조건이 발생할 가능성이 가장 높다는 결론에 도달할 수 있습니다. 이 때문에 앞서 언급한 상황이 발생할 가능성이 높다는 결론을 내릴 수 있습니다.

따라서 이진 클러스터링에 대한 연구를 수행하는 것이 장기적으로 유리할 수 있습니다. 이미지에 두 개 이상의 서로 다른 구성 요소가 있는 경우, 사진의 히스토그램은 이미지 자체의 피크 수와 동일한 수의 피크가 분포되어 있어야 합니다. 이렇게 하면 히스토그램이 이미지를 정확하게 표현할 수 있습니다. 이는 각 피크가 전체 그림의 고유한 측면을 나타내기 때문입니다. 히스토그램에서 가장 적은 값을 가진 부분을 확인하여 임계값을 어디에 설정할지 결정하는 것이 좋습니다.

담즙 레벨 임계값을 설정하기 위해 Prewitt 등의 연구자들은 두 개의 최대값 사이에 하나의 최소값이 생길 때까지 히스토그램을 반복적으로 평활화했습니다. 이는 임계값을 수행하기 위해 수행되었습니다. 이는 사용자가 두 가지 수준 중 하나에서 임계값을 설정할 수 있도록 선택권을 제공하기 위해 수행되었습니다. 그런 다음 가장 낮은 값에 해당하는 강도를 선택하여 임계값으로 작동할 값을 선택하기 위한 기초로 사용했습니다. 그림 3.6에서 이 기술의 가능한 적용 사례 중 하나를 확인할 수 있습니다.

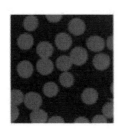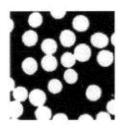

그림3.6: (a) 8bpp 펠릿 이미지, (b) 히스토그램, (c) ù×Ûû'를 사용하여 임계값을 설정한 이미지.

엔트로피 방법은 마치 기호의 확률 분포와 같은 방식으로 히스토그램을 분석하는 데 사용됩니다. Kapur 등의 연구자들은 히스토그램을 두 부분으로 나누었을 때 각 분포의 엔트로피를 계산할 수 있었습니다. 이는 히스토그램을 반으로 자르는 것으로 수행되었습니다. 두 구성 요소의 엔트로피 합이 최대가 되는 값을 선택하면 최적의 임계값을 찾을 수 있습니다. 그런 다음 이 임계값을 사용하여 구분 경계를 결정합니다.

여기서 목표는 이진화된 이미지에 포함될 수 있는 정보를 최대한 많이 유지하는 것이며, 이를 위한 한 가지 방법은 두 분포가 가능한 한 균일하게 분할되는 분할을 선택하는 것입니다. 이 방법은 매개변수를 추정할 필요가 없다는 장점이 있지만 히스토그램이 바이모달 분포를 갖는지 여부를 설정하는 데는 도움이 되지 않습니다.

이미지의 히스토그램을 매개변수화된 통계 분포의 선형 혼합으로 간주하는 혼합 모델링은 임계값과 관련하여 최근 몇 년간 주요한 패러다임으로 자리 잡았습니다. 혼합 모델링은 이미지의 히스토그램을 선형 혼합으로 보기 때문입니다. 키틀러의 최소오차 기법은 히스토그램이 다수의 가우시안으로 구성되며, 각 히스토그램은 개별적인 평균과 분산을 가지고 있다고 가정합니다. 이러한 가정을 통해 접근 방식이 작동할 수 있습니다. 객관적인 기준이 결정되었기 때문에 분류 오류의 가능성이 크게 감소했습니다. 분석의 임계값으로 작용할 값은 두 가우스 함수가 교차점을 만드는 지점으로 표현될 것입니다. 키틀러는 이 지점(베이지 최소 오차 임계값이라고도 함)을 찾기 위해 철저 검색과 반복 검색 전략을 모두 제안합니다.

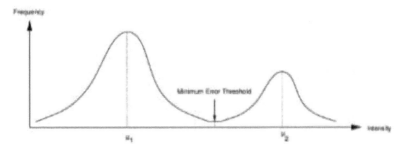

그림3.7: 혼합 모델링에서 임계값 결정.

한때 유명했던 오츠 방법의 적용은 발생할 수 있는 실수의 수를 줄이는 방법으로 대체되었습니다. 연구자들은 혼합물의 모든 분포가 동일한 모양과 동일한 분산을 갖는다면, 오츠의 접근법이 키틀러의 최소오차 방법과 실질적으로 동일하다는 것을 입증했습니다. 이는 혼합물의 모든 분포가 동일한 모양을 갖는다고 가정함으로써 증명되었습니다.

또 다른 연구에서는 분포의 중첩으로 인해 발생하는 분산 추정치의 일부 편향을 제거하기 위한 조정 방법을 제안했습니다. 이러한 편향은 분포가 독립적이지 않기 때문에 발생했습니다. 여기에서 확인할 수 있는 키틀러 등의 실수 줄이기 연구에서는 전반적으로 일관된 이미지를 찾는 것이 얼마나 어려운지에 대해 이야기합니다.

이 상황에서는 히스토그램이 단모드이므로 히스토그램의 어느 쪽을 더 면밀히 조사하는지에 따라 히스토그램의 맨 왼쪽 또는 맨 오른쪽에서 최적의 임계값이 선택될 수 있습니다. 이 기준을 사용하여 동질적인 사진과 이질적인 사진을 구별하는 데는 제한적으로 사용할 수 있습니다. 그럼에도 불구하고 차별화 정도는 다소 미미할 것입니다. 대부분의 하위 이미지가 동질적인 것으로 예측되어 이 그룹에 속하는 것처럼 처리해야 하기 때문에 로컬 세분화 프로세스의 측면에서 이는 매우 중요합니다. 이 프로세스는 하위 이미지가 모두 동일한 특성을 갖는다고 가정하기 때문입니다.

바이너리 임계값을 평가하는 객관적인 방법을 우리는 또 다른 연구에서 찾을 수 있었습니다. 8가지 다른 방법론을 분석하고 대조하기 위해 Sahoo 등은 "균일성"과 "모양"이라고 하는 측정을 사용하였습니다. 균일성 측정은 클래스 내 전반적인 변동량을 낮추는 데만 관심이 있는 반면, 모양 측정은 에지 경계의 공간적 일관성도 고려합니다. 연구자들은 바이모달 분포가 없는 실제 이미지에 적용했을 때, 엔트로픽 방법과 함께 오차가 가장 적은 전략이 가장 좋은 결과를 가져온다는 것을 발견했습니다.

이 외에도 모양과 균일성 측정값을 동시에 최적화하는 새로운 임계값 알고리즘을 만드는 것은 매우 쉬운 일이라는 사실에 주목했습니다. 연구자들은 이러한 객관적인 기준의 유용성이 크게 감소하였음을 강조하였습니다. Lee 등은 글로벌 임계값에 대한 다섯 가지 대체 접근법을 살펴보고 그 결과를 비교했습니다. 그들은 이전에 적절한 이진 분할이 생성된 두 가지 다른 테스트 사진을 사용했습니다.

연구자들은 또한, 모양과 균일도 측정 외에도 올바른 세분화와 대조적으로 오분류 가능성을 함께 살펴봤습니다. 그들은 특별히 눈에 띄는 알고리즘이 없다는 것을 발견하였고, 다양한 유형의 데이터를 사용하여 알고리즘을 평가하는 것이 얼마나 어려운지를 경험하였습니다. 그럼에도 불구하고 연구자들은 오츠[Ots]가 제안한 전략이 장기적으로 가장 성공적이라는 결론에 도달했습니다. 이는 오류율이 가장 낮은 전략이 더 좋지는 않더라도 최소한 동등한 성과를 냈을 것이라는 가설을 어느 정도 뒷받침합니다. 이와 유사한 목적을 가진 또 다른 실험은 글래스베이에 의해 수행되었습니다. 그는 가우스 분포와 가변 평균 및 분산을 결합하여 가짜 히스토그램을 만들었습니다. 조사 과정에서 그는 오차가 가장 적은 전략의 반복된 변형이 가장 성공적이라는 것을 깨달았습니다. 데이터가 생성된 방식을 고려하면 이는 놀라운 일이 아닙니다.

- **로컬 임계값**

전역 임계값을 포함하는 접근 방식을 사용하는 경우 이미지를 구성하는 모든 픽셀에 대한 임계값이 동일합니다. 사진의 한 섹션에서 다른 섹션으로 장면의 조명이 바뀔 때마다 문제가 발생할 가능성이 있습니다. 그림 3.8에서 머그잔의 임계값은 히스토그램에서 가장 뚜렷한 계곡에 해당하는 숫자로 설정되어 있습니다. 이는 두 그림을 비교하면 알 수 있습니다. 이러한 차이 때문에 그림자와 더 어두운 배경 영역이 머그잔과 함께 그룹화되어 결과적으로 생성된 세그먼트가 표준 이하로 발생됩니다.

이러한 현상은 결국 세분화의 부정확한 결과를 초래했습니다. 이 문제를 피하기 위해 이미지 내부에 포함된 각 픽셀(또는 이미지의 각 섹션)에 특정 임계값을 할당할 수 있습니다. 이 동적 임계값은 다음과 같은 히스토그램에 의해 결정될 수 있습니다. 히스토그램에 의해 결정될 수 있으며, 적절한 크기이며 해당 범위에 각 픽셀을 포함합니다. "적응형 임계값", "가변 임계값" 또는 "로컬 임계값"이라는 용어는 이러한 모든 접근 방식을 지칭합니다. 나카가와와 동료들의 연구는 이미지 내부에 서로 겹치지 않는 창을 생성합니다. 히스토그램은 일반적으로 가우시안 혼합으로 간주되지만, 혼합의 매개변수는 다음을 사용하여 알아냅니다.

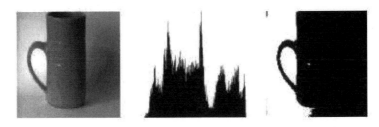

그림3.8: (a) 머그잔 이미지, (b) 히스토그램, (c) 다음을
사용하여 임계값을 설정한 경우

다음 단계는 데이터가 두 세그먼트로 구성되었는지 아니면 한 세그먼트로 구성되었는지 확인하기 위한 테스트를 수행하는 것입니다. 평가는 세 가지 기준과 사용자가 제공한 네 가지 수치로 이루어집니다. 이는 충분한 분리와 상당한 편차를 보장하기 위함입니다. 바이모달 분포가 창에 나타나면 잘못된 분류 가능성을 줄이기 위해

임계값을 설정해야 합니다. 단모드 창의 경우, 인접한 창의 임계값을 선형적으로 보간하여 결정되었습니다.

로컬 세그멘테이션의 개념은 로컬 임계값 설정 과정에서 명확하게 사용되고 있습니다. 각 로컬 임계값을 찾기 위해 어떤 방법이든 글로벌 임계값을 사용할 수 있다는 것은 당연한 일입니다. 유니모달 히스토그램에서는 완전히 균질하거나 지나치게 노이즈가 많은 영역을 나타낼 가능성이 창 크기가 작아질수록 높아집니다. 만약 방법론이 이러한 상황을 인식하지 못한다면, 계산된 임계값은 비논리적일 수 있습니다. 로컬 창을 구성하는 개별 창 세그먼트의 수를 계산할 수 있는 기능이 필수적입니다.

- **다단계 임계값(Multi-level Thresholding)**

이진 임계값(Binary Thresholding)을 포함한 다양한 임계값 방법은 두 개 이상의 클러스터에서 사용될 수 있습니다. 혼합 모델링 (Mixture Modeling) 방식은 히스토그램을 분포의 조합으로 나타내며, 분포의 피크 사이의 골짜기에서 임계값을 설정합니다. 이러한 방식을 간결하게 확장하는 것이 가능합니다. 방정식 3.2는 Q 클래스를 가진 혼합 모델의 일반 형태를 설명합니다. 값은 혼합 가중치로, 모든 값의 합은 1이 되어야 합니다. 값은 클래스의 분포함수를 나타내며, 값은 분포의 매개변수를 의미합니다.

$$h(x) = \sum_{i=1}^{K} \pi_i \cdot g_i(x_i, \vec{\theta_i})$$

(3.2)

평균이나 분산을 알 수 없음에도 불구하고 각 클래스가 정규 분포 (Normal Distribution)를 따른다고 가정하는 것이 일반적입니다. 이러한 가정은 큰 유연성을 제공합니다. 이 매개변수들의 추정치를 얻기 위해서는 기대-최대화(Expected-Maximization, E.M.) 방식이 자주 쓰입니다. 혼합 모델 확률 밀도 함수를 사용할 때, E.M. 방식은 각 단계에서 데이터의 통계적 가능성[Fis12]을 향상시키는 반복적인 접근법입니다. 이는 혼합 모델의 사용 여부와 상관없이 적용되기도 합니다.

E.M. 방식은 항상 수렴하긴 하지만, 지역 최적화(Local Optimum)로 수렴할 수도 있습니다. 이러한 문제는 대부분 다양한 시작 조건으로 많은 시뮬레이션을 반복해야만 해결될 수 있습니다. 그렇지만, 그레이스케일 픽셀 데이터는 단순한 1차원 상황의 예시에 불과하며, 이 문제는 주로 컬러 픽셀 같은 다변량 상황에서 발생합니다. 일반적인 E.M. 방식은 처리 비용이 많이 드는데, 이는 각 데이터 포인트에 대한 Q 적분을 생성하기 때문입니다. 각 데이터 포인트가

어떤 분포에 속하는지 결정하는 것은 적분을 이용해 수행됩니다. 정규 분포가 닫힌 형태(Closed-form)를 갖지 않기 때문에, 이 작업은 수치적으로 처리되어야 합니다. 분포들이 명확하게 구분될 경우 각 픽셀은 하나의 클래스에 명확하게 할당될 수 있습니다. 이렇게 하면 매개변수의 추정치에 편향(Bias)이 들어갈 가능성이 줄어듭니다. 분포가 공통의 분산을 가진 정규 분포라고 가정할 경우, E.M. 알고리즘에 의한 최적화는 각 데이터의 중심점에 대한 제곱의 합을 최소화하는 것으로 간소화됩니다.

이 추가 가정이 들어가면, E.M. 알고리즘으로 최적화되는 최대 가능성 기준이 만족스러워집니다. 이는 최대 가능성 기준이 데이터의 정확성에 기반하기 때문입니다. 더 간단한 절차를 사용하면 이 기준과 관련된 더 좋은 결과를 얻을 수 있습니다. "Q-평균 알고리즘(Q-means Algorithm)"은 실제로 두 가지 다른 방식을 포함합니다. 두 방식 모두 데이터와 관련 클러스터의 중심간의 제곱 오차를 최소화하는 것을 목표로 합니다. Hansen 등[HM01]이 언급한 보다 기본적인 방식은 k-평균(K-means) 방식이며, 목록 3.1에 나타나 있습니다. 더 복잡한 변형은 목록 3.2에 있으며, 여러 출처에서 Q-평균이라고 불립니다.

목록3.1: 수단 알고리즘.

1. 초기 클래스의 k 평균값을 선택합니다.

2. 각 데이터 포인트를 가장 가까운 평균값에 해당하는 클래스로 할당합니다.

3. 각 클래스의 평균값을 재계산합니다.

4. 평균값이 변화하지 않을 때까지 2와 3의 단계를 반복합니다.

목록 3.2: Q-평균 알고리즘(Q-means Algorithm)

1. 초기 클래스의 Q 평균값을 선택합니다.

2. 각 데이터 포인트를 가장 가까운 평균값에 해당하는 클래스로 할당합니다.

3. 각 클래스의 평균값을 재계산합니다.

4. 평균값이 변화하지 않을 때까지 2와 3의 단계를 반복합니다.

K-평균 알고리즘을 사용하면 반복할 때마다 각 픽셀에 새로운 할당이 주어지지만, Q-평균 알고리즘은 한 번에 한 픽셀에 대해서만 가능한 최선의 변경을 수행합니다. 적절한 시작 상황을 선택하면, 두 클러스터링 방법 모두 주어진 조건에서 1차원 데이터, 예를 들면 회색조 픽셀 클러스터링에 대해 동일한 결과를 생성할 수 있습니다. 이는 특히 로컬 세그멘테이션에서 기대되는 것처럼 Q 값이

낮은 경우에 더욱 그렇습니다.

ISODATA 방법은 Q-평균 알고리즘과 유사하지만, 더 나은 클러스터링 결과를 얻기 위해 여러 가지 휴리스틱을 도입합니다. 이러한 휴리스틱에는 최소 클래스 멤버십 요구, 최소 및 최대 클래스 수에 대한 제약 조건, 그리고 클래스 내 최대 변동폭의 조절이 포함됩니다. ISODATA 방법은 이러한 휴리스틱을 사용해 클래스의 수를 예측하고, 그 클래스가 합리적인 특성을 지니도록 합니다. 사용자는 이 휴리스틱을 매개변수로 제공할 수 있으며, 이를 통해 클러스터링 프로세스에 선험적인 정보를 입력할 수 있습니다.

이러한 정보를 활용하면, 사진 내의 자연스러운 변화의 정도를 기반으로 클래스 내 변화의 범위를 제한할 수 있습니다. 퍼지 k-평균 알고리즘은 Q-평균 알고리즘을 확장한 버전으로, 각 데이터 포인트가 여러 클러스터에 부분적인 멤버십을 가질 수 있게 합니다. 이 방식은 혼합 모델과 유사한 특성을 보입니다. 퍼지 k-평균에서의 클러스터 중심은 Q-평균에서 볼 수 있는 급격한 재할당과는 달리, 보다 부드럽게 움직입니다. 목표 함수의 형태 때문에, 이 알고리즘이 구형 분포가 아닌 데이터에 더 적합하다고도 알려져 있습니다. 그러나 퍼지 k-평균은 각 단계에서 모든 데이터 포인트의 부분을 계산해야 하므로 산술적으로 로컬 세그멘테이션에 사용하는 것이 더 복잡할 수 있습니다.

3.2.2 공간 세분화

지리 정보를 고려한 글로벌 세분화 알고리즘은 클러스터링을 기반으로 한 알고리즘보다 일반적으로 더 나은 성능을 보입니다. 대부분의 실제 객체에 해당하는 세그먼트는 물리적으로 서로 연결된 픽셀로 구성되어 있기 때문에, 픽셀 간의 공간적 정보를 활용하는 것이 유용합니다. 다양한 세그먼트 알고리즘 중 어떤 알고리즘이 가장 효과적인지를 판단하는 것은 복잡한 문제입니다. 이 섹션에서는 공간 세분화의 기본적인 접근법을 소개하고, 그 방법이 지역 세분화에 얼마나 적합한지 분석합니다.

- **지역 기반 세분화**

세분화 문제는 대상 영역의 크기를 확장하는 알고리즘을 사용하여 처리될 수 있습니다. 이러한 알고리즘은 이미지 내에서 명확하게 구분되면서도 공간적으로 연결된 픽셀 그룹을 식별합니다. 이미지 분할 알고리즘은 큰 영역에서 시작하여, 분할을 통해 더 작고 일관된 영역으로 나눕니다. 병합 알고리즘은 가장 먼저 인접한 픽셀의 특성을 조사하고, 공통된 특징의 유사도에 따라 영역을 결합하는 것을 고려합니다. 일부 방법들은 분할과 병합을 별도의 단계로 처리하지 않고 결합하여 처리하는 접근법도 있습니다. 정량적인 이미지 특성을 분할과 병합의 기준으로 활용하는 것은 이러한 방식들이 공통으로 가지는 특징입니다[YG01].

시작점으로 쓰이는 '시드(seed)'는 한 영역이나 단일 픽셀로도 설정될 수 있습니다. 시드는 새로운 세그먼트 형성의 출발점으로 활용되며, 동질성(homogeneity) 기준에 맞는 인접한 픽셀을 더하면서 확장됩니다. 이런 과정은 새로운 세그먼트가 인간의 관점에서 일관성 있게 보이도록 만들기 위해 필요합니다. 한 단계가 끝나면, 다음 단계로 진행됩니다. 새로운 시드를 찾기 위해 아직 사용되지 않은 픽셀들이 참조 자료로 활용됩니다. 이런 프로세스는 모든 픽셀이 특정 세그먼트에 할당될 때까지 계속됩니다.

따라서 생성되는 세그먼트의 형태는 선택된 초기 시드와 인접한 픽셀을 조사하는 순서에 크게 의존하게 됩니다. 이 두 요소가 함께 협력하여 세그먼트 형성을 지원합니다. 영역 분할 방법은 전체 이미지를 시작점으로 삼아, 더 작은 일관된 부분으로 이미지를 세분화합니다.

이 과정에서 핵심적인 문제는 영역을 정확하게 어떻게 나눌 것인가입니다. 이 문제의 한 해결 방안으로 전통적인 분할 방법을 사용한 접근이 있으며, 쿼드 트리(quadtrees)[FKN80]가 그 예입니다. 단순한 분할만으로는 세그먼트의 가능한 형태에 제약이 생기기 때문에, 세분화를 위해서는 이에 대한 추가적인 처리가 필요합니다.

트리 검색 알고리즘(tree searching algorithm)[Knu73]을 활용하면 이런 작업을 빠르게 처리할 수 있습니다. 가우시안 노이즈(Gaussian noise)를 포함한 조각별 상수 세그먼트 모델은 현재의 이미지 모델 중 하나로 널리 사용되고 있습니다. 이 모델에 따르면, 한 세그먼트를 구성하는 픽셀은 평균이 #이고 분산이 &인 정규 분포를 가집니다. 이 두 통계값은 아래 표에서 확인할 수 있습니다. 분산을 바탕으로 세그먼트의 일관성을 측정할 수 있으며, 샘플의 평균과 표준 편차를 이용해 전체적인 통계를 도출할 수 있습니다. 동질성의 기준 예시는 방정식 3.3에서, 피셔 기준(Fisher criterion)의 형태로 볼 수 있습니다. 이러한 동질성 기준은 두 클래스 A와 B를 분리하거나 합치는 데 사용됩니다.

$$\lambda = \frac{|\mu_A - \mu_B|^2}{\sigma_A^2 + \sigma_B^2}$$

$$(3.3)$$

수단이 서로 크게 다르더라도 차이가 비슷한 클래스는 피셔의 기준값(Fisher's criterion)을 최대화하는 데 이상적입니다. 대부분의 경우, 이 기준값은 지정된 임계값(threshold)과 비교되며, 임계값을 충족하거나 초과하면 병합 프로세스가 종료됩니다. 임계값의 설정은 허용되는 세그먼트의 길이뿐만 아니라 총 세그먼트 수에도 영향을 미칩니다. 이상적인 상황에서는 이미지 픽셀 값 사이에 발생하는 자연스러운 변화의 정도가 임계값을 계산하는 데 사용되는 요소가 되어야 합니다. 피셔의 기준(Fisher's criterion)은 특정 하위 이미지에 하나 이상의 클러스터가 포함되어 있는지 여부를 결정하는 데 도움이 될 수 있습니다. 이는 로컬 세분화를 수행할지 여부를 선택하는 과정에서 필수적인 단계입니다.

- **엣지 기반 세분화**

엣지 기반 세그멘테이션은 지역 확장 기술과 함께 사용됩니다. 이미지의 가장자리를 대표하는 세그먼트의 동질성에서 불연속성을 파악해 작업을 수행합니다, 이를 통해 이미지의 공간 정보를 활용할 수 있습니다. 이 기법은 이미지 내의 가장자리를 찾아내기 위해 적용됩니다. 가장자리 감지에는 주로 로컬 선형 그라디언트 연산자가 사용됩니다. 프리윗, 소벨, 라플라시안 필터는 이러한 연산자 유형의 대표적인 예입니다. 윤곽이 선명하고 노이즈가 적은 이미지는 이 연산자들을 사용하기 적합하다고 할 수 있습니다.

하지만 노이즈가 많거나 복잡한 이미지에서는 거짓 에지가 생성될 수 있거나, 반대로 필요한 에지가 누락될 수 있습니다. 이런 경우 에지를 연결하는 작업이 필요할 수 있습니다. 감지된 경계들이 반드시 연속된 커브 집합을 구성하지는 않을 가능성이 큽니다. 활성 윤곽 및 스네이크 모델에 대한 연구를 통해 몇몇 에지 기반 알고리즘이 개발되었습니다. 그러나 작은 영역에서는 픽셀의 수가 충분치 않고, 주변 정보가 미완성될 가능성이 높아, 에지 모델을 로컬 영역에 성공적으로 적용하는 것은 어려울 수 있습니다. 따라서, 에지 모델을 로컬 영역에 효과적으로 적용하려면 주의가 필요합니다.

- **하이브리드 지역-엣지 접근 방식**

유역 분할의 개념은 최근 몇 년 동안 크게 주목받아 왔으며 , 이는 효과적인 구현 방법이 있음을 증명했기 때문입니다. 이 하이브리드 방식에서는 먼저 에지 감지를 통해 성장 지역의 잠재적인 시작 포인트를 찾고, 이런 지역들을 서로 결합합니다. 이어서 이미지에 에지 감지기를 적용하여 각 픽셀 주변의 에지 크기를 정량화하는 "고도 지도"를 작성합니다. 특정 지역에 시드(seed)를 놓는 과정은 대개 "분지"에서 시작됩니다.

"분지"는 지역 내에서 고도가 가장 낮은 부분을 지칭하며, "계곡"으로도 불립니다. 만약 고도 지도의 분지에 물을 천천히 채워넣는다면, 지역의 성장 과정은 이 분지가 채워지는 과정과 유사합니다. 물이 분지를 채우면, 해당 지역은 적절한 크기의 전역 세그먼트로 병합됩니다. 고도 지도가 미리 준비될 수 있기 때문에, 유역 분할의 가장자리 감지 및 지역 확장 절차는 별도로 진행됩니다. Tabb의 다중 스케일 이미지 분할 방법[TA97]은 이러한 절차를 간결하게 통합한 하이브리드 방법의 예시입니다. Tabb은 스케일 선택, 에지 및 영역 감지, 게슈탈트 분석이 독립적으로 진행될 수 없으며, 효과적인 세그멘테이션을 위해서는 이들 모든 과정이 필요하다고 주장했습니다.

이 아이디어는 Tabb에 의해 제안되었습니다. 특정 크기에서 사용 가능한 픽셀의 수가 제한적이기 때문에, 이 방법을 로컬 영역에서 적용하는 것은 어렵습니다. 전체 이미지에 이 방법을 적용하면 좋은 결과를 얻을 수 있지만, 구현하는 데에는 복잡함이 따릅니다. 그럼에도 불구하고, Tabb의 소프트웨어는 이미지에 따라 최적의 설정을 자동으로 찾아내는 능력을 지니고 있어, 이는 해당 프로그램을 특별하게 만드는 요소 중 하나입니다.

- **릴랙스 라벨링**

릴랙세이션 라벨링은 컴퓨터 비전의 다양한 분야에서 활용될 수 있습니다. 과거에는 이 방법이 과학 컴퓨팅 분야에서, 특히 동시 비선형 방정식의 해를 찾는 과정에서 사용되었습니다. 릴랙세이션 라벨링 기법이 올바르게 작동하기 위해서는 두 가지 요소가 필요합니다: 라벨 집합과 객체의 특성 집합. 보다 일반적으로 이미지 처리에서, 이러한 특성은 점, 가장자리 및 표면으로 간주됩니다. 이미지 분할에서는 각 픽셀이 어떤 세그먼트에 속하는지 나타내는 특성이 존재하고, 이미지의 각 세그먼트에는 고유한 라벨이 할당됩니다. 대부분의 라벨링 기법은 확률론적인 특성을 가지므로 각 픽셀이 여러 세그먼트에 속할 가능성이 있습니다.

릴랙세이션 절차는 항상 수렴한다고 보장할 수 없기 때문에, 픽셀이 하나의 세그먼트에 완전히 할당되지 않을 수 있습니다. 릴랙세이션의 수렴을 최적화하는데에는 두 가지 주요 전략이 있습니다.

확률론적 릴랙세이션, 또는 시뮬레이션 어닐링은 반복 과정에 무작위 요소를 포함시켜 2차 최적 상태에 갇히는 것을 방지하는 방법입니다. 이 전략은 Geman과 그의 동료들에 의해 로컬 마르코프 랜덤 필드 모델에 적용되었습니다. 반면, 결정론적 릴랙세이션은 수정을 통해서만 수렴을 가속화하며 무작위 변경을 포함하지 않습니다. 이 접근법은 반복 조건부 모드(ICM)라는 알고리즘에 적용되어 이미지 분할에 활용됩니다. 그러나 ICM의 탐욕스러운 특성 때문에 전역 최적해를 항상 찾을 수 없으며, 결과는 초기 조건에 따라 다를 수 있습니다.

- **클러스터링 방법 확장**

Haralick 등[HSD73]은 텍스처 분석에서 적절한 임계값을 선택하기 위해 동시 발생 행렬을 사용했습니다. 이 행렬을 활용하면 픽셀 간의 공간적 관계를 고려할 수 있습니다. 동시 발생 행렬은 고정된 방향과 거리를 유지하는 픽셀 쌍의 2차원 히스토그램을 통해 마르코프 모델과 비슷한 방식으로 생성됩니다. 그림 3.9에는 기본 J 이미지의 세 개의 노이즈가 없는 세그먼트에 대한 두 동시 발생 행렬의 예시가 있습니다. 이 행렬은 실제 구성 예시를 보여줍니다. 행렬의 대각선 바깥 부분은 주로 에지 픽셀을 나타내야 하며, 대각선 부분은 주로 세그먼트 내의 유사한 회색조 픽셀을 나타내야 하니다.

임계값은 먼저 이런 행렬에서 두 개의 독립적인 히스토그램을 만든 후, 첫 번째 히스토그램의 계곡 부분이 두 번째 히스토그램의 최대치 부분과 일치하는 지점에서 결정됩니다. 필요한 경우 이 단계를 여러 번 반복하여 임계값을 찾을 수 있습니다. 자세한 내용을 알고 싶은 독자는 관련 문서를 참고해야 합니다. 이러한 유형의 이미지에서는 충분한 픽셀 정보가 부족하여 동시 발생 행렬을 제대로 생성할 수 없기 때문에 작은 하위 이미지에서는 이 기법을 사용해서는 안 됩니다. 이런 경우에는 다른 방법을 사용해야 합니다.

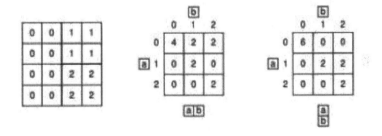

그림3.9: (a) 3개의 세그먼트가 있는 ú이미지, (b) 수평 픽셀 쌍에 대한 동시 발생 행렬, (c) 수직 픽셀 쌍에 대한 동시 발생 행렬

연구자인 Leung과 Lam은 그들의 연구에서 "세그먼트 장면 공간 엔트로피(SSE)"라는 개념을 도입하였습니다. 이 아이디어는 임계값 기법의 사용을 확장하여 공간적 정보를 반영할 수 있도록 개발되었습니다. 선택된 임계값은 세그먼트화된 이미지의 '공간 구조'를 가장 잘 표현할 수 있는 방식으로 정해집니다.

이를 달성하기 위해 가능한 한 높은 임계값을 설정합니다. 이들은 픽셀과 그 주변 4개의 픽셀 사이의 연결을 정의하는 공간적 기법을 사용합니다. 이 방법은 서로 어떤 관계를 가지는지를 알 수 없는 작은 픽셀 그룹에 적용하기는 어렵습니다.

서로 연결되어야 하는 픽셀 그룹들이 매우 불규칙적인 패턴을 보입니다. Lindato는 이중 임계값을 사용하는 비표준 방법을 논문에서 제시하였습니다. 세그먼테이션이 완료되면, 엔트로피 기반 접근법은 주어진 데이터에서 가능한 한 많은 정보를 활용하여 픽셀 값을 인코딩하려고 합니다. 이 작업은 세그먼테이션 이후에 진행됩니다. 그렇지만, Lindato는 원본 이진 픽셀과 이진 세그먼트 맵의 전체 무손실 인코딩 길이를 줄이는 임계값을 선택합니다. 이 작업의 목적은 인코딩 과정을 보다 효율적으로 만드는 것입니다.

보다 낮은 값의 임계값 선택이 이 목표를 달성하는 한 방법일 수 있습니다. 최소 엔트로피 선형 예측기[Tis94]는 각 세그먼트를 사용자 정의할 수 있도록 그레이스케일 픽셀을 인코딩하는데 사용됩니다. 한편, 비트맵을 최적화하여 저장하기 위해 JBIG 알고리즘이 사용됩니다. 이 방법은 Wallace의 최소 메시지 길이(MML) 귀납적 추론 원리를 사용하여 제공된 데이터와 모델의 길이를 모두 고려하여 총 압축 길이를 최소화하는 모델(임계값)을 선택합니다. 이 원칙을 제안한 Wallace는 이 아이디어의 창시자로 알려져 있습니다.

3.3 로컬 세분화

로컬 세그멘테이션 기법의 주 목표는 매우 작은 하위 이미지의 구성 요소를 분리하는 것입니다. 이 기법의 핵심 차이점은 제한된 수의 픽셀에만 집중한다는 것으로, 이는 글로벌 세그멘테이션과 대조적입니다. 이러한 접근 방식은 하위 이미지가 일관성을 유지할 가능성이 높아지게 하지만, 전체 이미지의 맥락을 고려하지 않으면 해당 이점이 항상 명확하지 않을 수 있습니다.

전체 이미지를 먼저 작고 관리 가능한 부분으로 세분화하는 접근법은 새로운 것이 아닙니다. 이미 여러 알고리즘에서 다양한 형태로 이러한 전략이 적용되고 있습니다. 그러나 독자들은 이러한 접근법의 사용이 항상 명시적이지 않을 수 있다는 점을 기억해야 합니다.

3.3.1 패싯 모델

이미지 처리에 관한 대부분의 프로그램은 픽셀 그리드를 기본 강도 표면의 이산 근사치로 간주하며 이 전제하에 동작합니다. Haralick 등이 개발한 패싯 모델은 이미지가 실제 표면의 노이즈 표현이라고 가정하며, 해당 표면이 조각 단위로 연속적이라고 봅니다. 특히, 이 패싯 모델은 이미지의 각 부분을 2차원의 다항식 함수로 표현하여 적절히 특성화할 수 있다고 주장합니다. 여기서 각 구성 요소의 강도가 동일하다는 것은 평면 패싯 모델에 기반한 것입니다.

경사면 패싯 모델을 활용하면, 평면에서는 표현하기 어려웠던 강도를 양방향으로 선형적으로 변화시키는 것이 가능해집니다. 이 개념을 더 높은 차수의 다항식으로 확장하면 더욱 효과적으로 작업할 수 있습니다. 하위 이미지에 패싯 모델을 적용하는 것이 가능합니다. 그러나 패싯 모델에는 몇 가지 기본적인 문제점이 있습니다. 첫째, 어떤 차수의 다항식을 이웃에 적용할지에 대한 명확한 기준이 없습니다.

이는 패싯 모델의 주요한 제약점입니다. 노이즈를 과도하게 반영하는 것과 구조적 특성을 충분히 반영하지 못하는 사이에서의 균형이 필요합니다. 이 균형은 적절한 중간점을 찾아서 해결할 수 있습니다. 둘째, 다항식 함수는 임의의 세그먼트 경계를 정확히 나타내기에는 적합하지 않습니다. 세그먼트의 시각적 경계는 미적 관점에서 중요하므로, 이를 적절히 표현하는 방법이 필요합니다.

3.3.2 블록 트러션 코딩

블록 트러션 코딩(Block Truncation Coding, BTC)은 이미지 손실 압축 기법으로, 정해진 비트 전송률을 사용합니다[DM79, FNK94]. 이 방식은 로컬 세그멘테이션 기법의 초기 적용 사례 중 하나로 알려져 있습니다. BTC를 활용하는 한 방법은 이미지를 겹치지 않는 독립적인 픽셀 블록들로 나누는 것입니다. 각 픽셀은 블록의 평균값을 기준으로 한 임계값(threshold)을 이용하여 두 개의 클러스터로 분류됩니다. 두 클러스터의 중심 값은 각각의 클러스터에 속한 픽셀들의 평균값을 사용하여 '#'(기호#) 및 'a'(기호#a)로 표현됩니다. 이에 관한 상세한 설명은 그림3.10에서 확인할 수 있습니다.

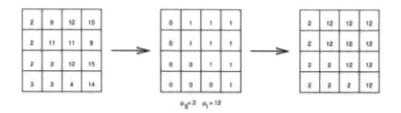

그림3.10: BTC 예시: (a) 원래 픽셀 블록, (b) 비트 평면과 두 가지 수단으로 분해된 픽셀, (c) 재구성된 픽셀.

BTC(Block Truncation Coding)는 로컬 세그멘테이션의 관점에서, 모든 세그먼트가 동일한 그레이 레벨의 픽셀로 구성되며, 픽셀 경계에서 단계 가장자리로 나뉜다는 가정 하에서 작동합니다. 이러한 가정이 있기에 BTC는 제대로 작동합니다. 평균값을 임계값(threshold)으로 사용하고 두 개의 세그먼트가 존재한다는 가정은 바이모달 히스토그램이 있다는 것을 나타냅니다. 또한, 각 세그먼트가 거의 동일한 양의 픽셀을 포함한다는 점을 암시합니다.

핵심 "비트코인" 알고리즘은 첫 시작부터 여러 번의 개선을 거쳤습니다. 하지만, 문장에서 "비트코인"은 BTC와 관련이 없으므로 해당 부분을 수정해야 합니다. 그럼에도 불구하고, 다양한 세그멘테이션 전략이 제안되었으며, 두 평균값의 차이가 작은 경우, 블록이 균일하다고 판단되어 단순화된 인코딩 방법을 사용할 수 있습니다. 반면, 다단계 임계값은 높은 분산을 가진 블록에 사용할 수 있습니다. 이런 접근 방식은 단순하면서도 정확한 결과를 제공합니다.

4장에서는 BTC의 개념을 더 확장하여 이미지의 노이즈 제거에 효과적인 로컬 세그멘테이션 전략을 소개할 예정입니다. BTC는 다양한 변형을 가지며, 대부분은 시각적 품질을 보다 향상시키기 위해 공간 기반 기법을 활용하여 임계값을 설정합니다. 그라데이션 기반 BTC와 상관관계 기반 BTC는 블록 내의 각 픽셀에 대해 다른 임계값을 선택하며, 픽셀 간의 그라데이션과 격차를 사용하여 이 임계값을 계산합니다. 이러한 방식은 대부분의 이미지에서 세부 정보를 보다 잘 보존하려는 시도로 볼 수 있습니다.

3.3.3 SUSAN

SUSAN(Smallest Univalue Segment Assimilating Nucleus)은 로봇 비전 시스템의 실시간 데이터 처리를 위해 효율적으로 작동하도록 설계된 이미지 처리 알고리즘입니다. 이 알고리즘은 원래 이미지에서 가장자리와 모서리를 탐지하는 목적으로 개발되었지만, 후에 노이즈 제거 기능을 추가하여 이미지의 구조를 보존하는 방식으로 확장되었습니다.

SUSAN의 주요 개념 중 하나는 USAN입니다. USAN은 핵, 즉 창 중앙의 픽셀을 중심으로 동일한 강도를 가진 주변 픽셀 그룹을 의미합니다. 이러한 방식으로, SUSAN은 주변 픽셀의 유사성을 판단하여 이미지 내의 구조를 탐지합니다. USAN의 생성 과정은 영역의 성장과 유사하게 보이지만, 이 영역 내의 픽셀이 서로 연관되어 있지 않아도 됩니다. 이 점에서 USAN의 생성은 클러스터링과 세분화의 중간 단계라고 할 수 있습니다.

SUSAN의 픽셀 유사성 판단 방식은 밝기 임계값에 기반합니다. 이 임계값에 따라 알고리즘이 작동하는 방식이 결정됩니다. 이를 통해, SUSAN은 유사한 픽셀에 대해 높은 가중치를 부여하고, 유사하지 않은 픽셀에는 가중치를 부여하지 않습니다. 이러한 방식을 크리스프 클러스터링으로 볼 수 있습니다. 그리고 이 가중치의 합이 USAN의 크기를 결정합니다.

하지만, 스미스는 크리스프 클러스터링 대신 퍼지 멤버십 함수를 사용하여 이미지 내의 특징을 더 잘 식별할 수 있다는 것을 발견했습니다. 이는 퍼지 로직의 멤버십 함수가 연속적인 값을 통해 픽셀의 소속도를 나타내기 때문에, 이미지 내의 미묘한 구조나 세부 사항을 더 잘 포착할 수 있기 때문입니다..

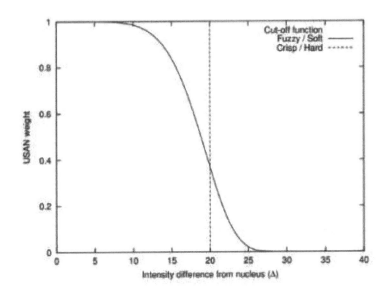

그림3.11: SUSAN 알고리즘에서 픽셀 동화를 위한 하드
컷오프와 소프트 컷오프 기능의 비교.

이 퍼지 함수는 핵(central pixel)과 강도(intensity)의 차이를 반영
하는 형태로 최적화되었습니다. "최적으로"라는 표현은 해당 함수를
설계하는데 쓰이는 방법론을 의미합니다. 그림 3.11에서는 선명한
멤버십 함수와 퍼지 멤버십 함수가 숫자 8의 함수로서 어떻게 동작
하는지 비교되어 있습니다. 퍼지 형식을 적용하면, 기여도가 작더라
도 모든 픽셀이 USAN의 전체 크기로 고려됩니다. 이 접근법은 더
이상 로컬 이웃을 세부적으로 구분하지 않습니다.

이미지 내에서 특징을 감지하기 시작하기 전, 각 픽셀의 USAN 크기가 표시됩니다. 이 표면 상에서 균등하게 분포된 영역은 고원(plateau)으로 간주되며, 계곡(valley)은 가장자리(edge)를 나타내고, 모서리(corner)는 더욱 깊은 계곡을 나타냅니다. 고원은 그 균일성에 따라 계곡과 구별될 수 있습니다. SUSAN은 이 USAN 표면을 기반으로 가장자리의 방향, 강도 및 모서리의 위치를 파악합니다.

스미스(Smith)는 SUSAN 특징 검출기가 제공하는 결과가 Canny[Can86]에 의해 정립된 잘 알려진 가장자리 검출 방식과 비슷하다는 것을 발견하였습니다. SUSAN은 특히 강도가 점진적으로 변하는 영역과 계단 또는 경사 같은 경계가 있는 이미지에서 탁월하게 작동한다고 스미스는 지적합니다.

SUSAN의 성능이 사용자가 설정하는 밝기 임계값(threshold)에 따라 달라진다는 점은 이 알고리즘의 큰 한계점으로 여겨지며, 실제로 이 한계점이 알고리즘의 이름을 창출하게 되었습니다. 스미스는 SUSAN에 설정되는 값이 알고리즘의 성능에 큰 영향을 미치지 않는다고 주장하며, 이 값을 기본값으로 20을 권장합니다. 이 값은

SUSAN의 민감도를 조절하는 데 활용되며, 이는 가장 낮은 수준의 특징 대비를 얼마나 잘 감지할 것인지를 정합니다.

실험적인 결과를 통해 이 값은 이미지 세그먼트(segment) 내에서 예상되는 일반적인 강도 변화와 비슷해야 함을 알 수 있습니다. 이런 일관성이 있어야만 USAN이 오해를 불러일으키는 가장자리를 생성하는 대신 균일한 영역의 픽셀을 정확하게 포착할 수 있습니다.

4장. 정량적 데이터 분석

현상을 깊게 파악하기 위해서는 해당 현상을 측정하며 데이터를 수치나 그래픽 정보로 수집하는 것이 흔한 접근 방식입니다. 이렇게 수집한 데이터는 현상의 이해를 깊게 하는 데 큰 도움을 줍니다. 모든 측정에는 노이즈가 포함되어 있으므로, 데이터 정제 작업이 필요하며, 이 과정을 노이즈 제거라고도 부릅니다. 그 다음에는 탐색적 데이터 분석(EDA) 단계를 진행할 수 있는데, 이는 통계 모델링을 시작하기 전에 데이터를 검토하는 과정입니다. 데이터의 범위와 특성을 파악하는 것은 문제 해결에 큰 도움을 줍니다. 데이터는 탐색, 분석, 예측 등 다양한 활동에 활용될 수 있습니다.

정확한 결과를 도출하기 위해 우리는 적절한 모델을 선택하며, 그 모델을 통해 데이터의 특징을 추출하고 분류할 수 있습니다. 이러한 모델은 데이터 내의 패턴을 이해하는 데 도움을 주며, 데이터를 다양한 방식으로 분류하거나 정리하는 기능도 제공합니다. 또한, 새롭게 발견된 정보를 기반으로 예측하는 작업에도 활용될 수 있습니다. 현대의 데이터 분석에서 중요한 점은 다양한 출처에서 정보를 통합하여 분석하는 것입니다.

다양한 방법으로 수행된 여러 실험에서 얻은 정보는 보다 정확한 분석을 가능하게 합니다. 특히, 하나의 데이터 소스만으로는 부족한 경우가 많아, 다양한 실험과 방법론에서 얻은 지식이 필요합니다.

본 책에서는 조직과 세포의 특성을 정밀하게 파악하기 위해 현미경으로 촬영한 이미지 데이터를 중심으로 분석하였습니다. 데이터 처리 후, 조직의 유래, 등급, 세포 수, 픽셀 수 등 다양한 정보를 추출할 수 있었습니다. 또한, 세포의 크기, 강도, 질감, 종류 등의 다양한 속성을 분석하였습니다. 이런 정보는 병리학자의 관찰 뿐만 아니라 다양한 전문가의 의견 및 목격자 인터뷰 등 다양한 출처에서 얻어진 것이며, 이를 바탕으로 머신 러닝 등의 방법으로 추가적인 분석이 이루어졌습니다.

4.1 분류

일련의 관찰이 주어지고, 각 관찰이 일련의 특성과 레이블로 연결되어 있다면, 목표는 관찰을 효율적으로 카테고리로 분류하는 방법을 찾는 것입니다. 이를 통해 연결된 특성을 기반으로 새로운 관측값에 레이블을 지정할 수 있습니다. 예를 들면, 세포가 암의 특성을 가지고 있는지, 아니면 세포가 대식세포인지 뉴런인지와 같이 다른 종류의 세포와 어떻게 구분할 수 있는지에 관한 질문이 있습니다. 현재 가지고 있는 정보로 이를 구별할 수 있을까요, 아니면 추가 정보가 필요할까요? 이러한 접근법을 종종 "안내 학습"이라고 합니다.

분류 프로세스의 결과로 함수(또는 모델)가 생성됩니다. 이 함수는 입력에 카테고리를 할당하며, 이는 종종 독립 변수를 포함하는 벡터로 설명되며 특징 벡터로 알려져 있습니다. 이 모델은 단일 클래스 예측을 제공하는 것 외에도 확률적 프레임워크의 맥락에서 사용될 때 확률을 할당할 수 있습니다. 분류자를 훈련하려면 각 관측값에 대한 레이블이 포함된 훈련 데이터 세트에 액세스하는 것이 중요합니다.

분류자를 훈련하려면 레이블을 사용해야 하기 때문입니다. 가장 기본적인 종류의 모델은 이진 분류를 위한 선형 모델이며, 더 복잡한 분류 모델(분류에 속하는지 여부를 의미)의 기본 구성 요소로서도 중요한 기능을 합니다. 선형 모델에서는 길이가 n인 특징 벡터 입력 x와 특징 벡터의 구성 요소에 가중치를 부여한 선형 조합을 활용하여 예측 y를 도출합니다. 이 조합은 선형적인 방식으로 이루어집니다. 우리는 특히 파라미터라고도 하는 가중치를 찾는 데 관심이 있

습니다. 다음은 이진 선형 분류기를 표현하는 한 가지 접근 방식의
예입니다:

$$\hat{y} = \sum_{j=1}^{n} \theta_j x_j$$

(4.1)

θ를 구하기 위해 분류 문제는 목적 함수 J를 사용하는 최적화 문
제로 제기됩니다.

$$J(\theta) = L(\theta) + \Omega(\theta),$$

(4.2)

손실 함수와 정규화 함수는 모두 문자 L로 표시됩니다. 특정 데이터
세트에 대한 과적합을 피하기 위해 정규화 함수는 바람직하지 않은
특징의 발생에 페널티를 할당하여 값을 수정합니다. 이는 에 대한
값을 조절하기 위해 수행됩니다. 손실은 투영된 레이블이 원래 사
용되었던 레이블과 얼마나 잘 일치하는지를 나타내는 측정값입니다.
정규화 함수의 이름은 데이터 분포 방식을 제어한다는 인상을 줍니
다. 하지만 방정식4.1을 자세히 살펴보면 모델이 아직 분류[55]를
정확하게 수행하는 것이 아니라 회귀를 수행하고 있음을 알 수 있
습니다. 이는 방정식을 자세히 살펴보면 알 수 있는 부분입니다. 이
는 레이블이 0과 1의 벡터라 하더라도 y가 너무 멀리 떨어져 있으
면 올바른 방향으로 움직이고 있더라도 잘못된 위치에 있다는 이유

로 불이익을 받게 된다는 것을 의미합니다. 예를 들어, 이전 그림에서 y가 1이 아닌 3을 예측했거나 0이 아닌 -2를 예측했다면 이 개념을 설명하는 그림이 될 것입니다. 클래스에 대한 최종 예측은 y의 임계값을 1/2의 값으로 조정하여 얻을 수 있습니다.

4.2 비지도 학습

4.2.1 클러스터링

클러스터링은 비지도 학습(레이블을 사용하지 않는 학습)의 일종으로, 레이블이 제공되지 않은 데이터 집합도 그룹으로 분류할 수 있습니다. 이는 데이터에 별도로 레이블을 지정할 필요가 없기 때문의 특성입니다. 클러스터링은 데이터 내의 여러 항목을 공통된 특성을 기반으로 그룹화하는 통계적 기법입니다. 또한, 클러스터링은 관측값의 고유 특성 뿐만 아니라 주변의 관측값에 따라도 그룹화할 수 있습니다. 클러스터링 방법은 데이터 내의 패턴을 반영하여 새로운 입력에 대한 분류를 지원하는 모델을 제공할 수 있으며, 이 모델은 클러스터링 과정이 완료된 후 사용할 수 있습니다. 클러스터링의 고전적인 방법론과 문제 개요는 같은 자료에서 확인할 수 있습니다.

단 하나의 클러스터링 방법이 모든 상황에 효과적이라고는 할 수 없습니다. 일부 방법은 클러스터의 수를 입력 매개변수로 받는 반면, 다른 방법은 알고리즘이 스스로 클러스터 수를 결정하게 됩니다. 각각의 방법은 특정 데이터에 대한 가정을 포함하고 있으며, 이러한 가정이 만족되지 않을 경우 모델은 예상하지 못한 방식으로 작동할 수 있습니다. 클러스터링의 기준은 데이터 쌍 간의 유사도에 따라 다르며, 이 유사도는 여러 거리 측정 메트릭으로 정의될 수 있습니다. 가장 일반적으로 사용되는 메트릭은 유클리드 거리와 코사인 유사도입니다. 하지만 어떤 메트릭을 사용할지는 데이터의 구조와 특성에 따라 달라집니다. 클러스터링에서 가장 대표적인 방법은 K-평균 클러스터링이며, 이 방법은 클러스터의 수를 미리 지정해야 합니다. K-평균 알고리즘은 데이터를 k개의 클러스터로 분류하며, 각 클러스터는 중심점을 기준으로 식별됩니다. K-평균의 주된 목표는 모든 데이터 포인트와 각 클러스터의 중심점 사이의 유클리드 거리를 최소화하는 것입니다. 각 데이터 포인트는 가장 가까운 클러스터 중심점에 레이블이 할당됩니다.

$$\sum_{i=0}^{n} \min_{\mu_j \in C}(\| x_i - \mu_j \|^2) \quad \textbf{(4.3)}$$

반면, k-평균은 데이터에 대한 가정을 전제로 하며, k-평균을 기반으로 하는 클러스터링은 보로노이 파티션과 매우 유사한 파티션을 생성합니다. k-평균은 데이터를 클러스터링하는 데 사용됩니다. 보로노이 파티션은 볼록형이기 때문에 클러스터링 프로세스에 의해 생성되는 클러스터는 제한된 다양한 형태만 취할 수 있습니다. 현재 접근 가능한 사실에 비추어 볼 때 이 방법이 적절하지 않을 가능성이 높다는 사실 때문에 요구 사항이 그다지 엄격하지 않은 대안이 개발되었습니다. 트리 구성은 데이터를 클러스터링하는 또 다른 기법입니다. 이 트리는 각 하위 집합에 하나의 관측값만 포함될 때까지 데이터 집합을 점점 더 작은 하위 그룹으로 점진적이고 증가적으로 나눕니다.

트리(tree)를 구성하는 방법에는 두 가지 접근 방식이 있습니다. 첫 번째는 잎(leaf)에서 시작하여 뿌리(root)까지 올라가는 집합적 방식이고, 두 번째는 뿌리에서 시작하여 각 수준마다 클러스터를 병합하거나 분할하는 분할적 방식입니다. 이 두 방법은 모두 유효하게 사용될 수 있습니다. 이러한 기법들을 적용할 때는 기본 기능에 추가로 종료 조건이라는 매개변수를 구현하는 것이 필요합니다.

노이즈가 있는 데이터를 클러스터링할 때 사용되는 밀도 기반의 공간 클러스터링 방식에는 DBSCAN이라는 방법이 있습니다.

DBSCAN은 밀도가 높은 관측치를 중심으로 클러스터를 확장하는데 시작하며, 이를 기반으로 동일한 특성을 가진 다른 관측치를 찾아나갑니다. 이 방법은 밀도 기반 클러스터링의 초기 방법 중 하나로, 그 오래된 역사에도 불구하고 노이즈에 대한 강인성을 지니고 있습니다. DBSCAN은 클러스터의 구체적인 형태보다는 밀도의 변화에 민감하게 반응하므로, 클러스터가 어떤 모양을 갖는지에 대해서는 크게 신경 쓰지 않습니다. 밀도를 평가하는 이런 방식은 데이터의 각 부분의 밀도를 분석하는데 중점을 둡니다.

평균 시프트 알고리즘은 클러스터 중심 후보를 찾는 방법으로, 로컬 최대 밀도를 갖는 위치를 클러스터 중심으로 고려합니다. 이 방법은 클러스터 중심 후보 주변의 이웃을 반복적으로 검색하여, 커널 내의 값들의 가중 평균과 해당 커널의 중심 사이의 차이인 벡터 m을 계산합니다. 이 계산된 벡터 m은 커널 내 값의 가중 평균 간의 차이를 나타내며, 평균 이동 방식을 사용하여 클러스터 중심 후보의 위치를 반복적으로 조정합니다.

벡터 m은 커널 내에서 발견된 값들의 가중 평균 차이를 기반으로 생성되며, 이 벡터는 관측치가 높은 밀도를 갖는 영역의 방향을 가리킵니다. 평균 이동은 이 벡터로 표현되고, 이는 발생한 평균 이동의 크기와 방향을 나타냅니다.

클러스터링은 이미지, 그래프 등 다양한 데이터 형식에 적용될 수 있습니다. 만약 우리가 개체를 공간에 위치시키고 해당 개체와 주변 개체 간의 거리를 지정한다면, 이 개체는 노드 V와 에지 E로 구성된 그래프 G로 표현될 수 있습니다. 이 그래프를 통해 개체와 주변 개체 간의 거리 관계를 나타낼 수 있습니다.

셀과 같은 작은 개체를 분석할 때 그래프 형태로 데이터를 표현하는 것이 유용합니다. 에지를 형성하기 위해서는 두 점 간의 근접성과 미리 정의된 특정 기준이 충족되어야 합니다. 클러스터링이 그래프 형태의 데이터에 적용될 경우, 이는 커뮤니티 탐지 전략으로 전환됩니다. 라이덴 접근법을 사용하면 밀접하게 연결된 커뮤니티, 즉 클러스터를 구축할 수 있습니다.

과거에는 루바인(Louvain) 알고리즘이 큰 데이터 세트에서 주로 사용되었지만, 라이덴(Leiden) 알고리즘은 이를 개선한 방식으로 대체되었습니다. 루바인은 노드를 한 클러스터에서 다른 클러스터로 전송하거나 클러스터를 병합할 때 간단하고 효과적인 방법을 사용하여 클러스터의 품질을 개선합니다. 루바인은 또한 정규화가 적용되지 않아도 브리지 노드를 형성합니다. 이러한 브리지 노드는 두 개의 클러스터를 연결하는 역할뿐만 아니라 독립적으로 클러스터를 형성하는 능력도 갖추고 있습니다.

루바인 알고리즘은 브리지 노드의 생성을 담당합니다. 이러한 브리지 노드가 재배치되면 연결이 끊어질 수 있으며, 일단 연결이 끊어지면 복원할 수 없습니다. 반면, 라이덴 알고리즘은 클러스터를 필요에 따라 분할하는 기능을 추가하였습니다. 불안정한 노드에 대한 측정값을 도입함으로써 불안정한 노드만이 다른 클러스터로 이동할 수 있는 후보가 됩니다. 라이덴은 또한 어떤 노드가 안정적인지를 판단하기 위한 측정값을 도입하였습니다. 이런 기능들 덕분에 라이덴 알고리즘은 문제를 더 효율적으로 해결할 수 있게 되었으며, 이로 인해 알고리즘이 더 빠르게 실행되고, 클러스터링 결과도 더 최적화되었습니다.

4.2.2 대조 학습

비지도 학습의 하나의 방법으로 대조적 손실이라는 함수가 있습니다. 대조적 손실은 모델에게 긍정적인 예시(입력과 유사한 데이터)와 부정적인 예시(입력과는 다른 데이터)를 제공함으로써 학습을 돕습니다. 여기서 "입력"은 주로 "앵커"라고 불립니다. 대조적 손실에서 사용되는 삼중 항의 구성 요소는 앵커, 긍정적 예시, 그리고 부정적 예시입니다. 이 방식의 학습 목표는 앵커가 긍정적인 예시와는 유사한 특성을, 부정적인 예시와는 다른 특성을 가지도록 만드는 것입니다. 그렇게 해서 앵커를 기준으로 긍정적인 예시와 부정적인 예시를 구분할 수 있게 됩니다. 긍정적이고 부정적인 예시의 정의는 다양한 관점에서 검토될 수 있습니다.

데이터 포인트의 지리적 정보를 활용하는 것은 효과적인 전략 중 하나입니다. 일반적으로 앵커로부터 멀리 떨어진 포인트는 고유할 가능성이 높아져서 부정적인 예시 후보가 될 가능성이 커집니다. 반대로, 앵커에 가까운 포인트는 유사할 가능성이 높아져 긍정적인 예시 후보가 될 가능성이 커집니다. 논문 IV와 다른 논문에서는 이러한 데이터를 그래프로 시각적으로 표현하였습니다. 각 포인트의 표현은 대조 학습을 통해 얻어집니다. 이때, 앵커에서 짧은 랜덤 워크로 얻어진 포인트는 긍정적인 예시로, 앵커에서 긴 랜덤 워크로 얻어진 포인트는 부정적인 예시로 사용됩니다.

4.2.3 차원의 저주

이러한 전략은 매우 작은 차원에서도 성공적으로 작동할 수 있음을 나타내며, 이는 특징 벡터의 총 특징 수가 상대적으로 적을 수 있다는 것을 의미합니다. "차원의 저주"는 높은 차원에서의 작업 시 발생할 수 있는 다양한 어려움을 가리키는 표현입니다. 문제의 차원이 높아짐에 따라 근사치를 계산하는 데 드는 비용이 기하급수적으로 증가합니다. 그러나 데이터를 스무딩하거나 정렬된 데이터를 사용하면 이 비용을 감소시킬 수 있습니다. 또한, 차원이 증가할수록 가장 가까운 이웃과 가장 먼 이웃 사이의 거리 차이가 줄어들게 되어 데이터 포인트 간의 변별력이 줄어듭니다.

대규모 데이터 분석에서는, 사진과 같은 고차원의 데이터에서 거리를 기반으로 유사성을 판단하는 방식을 흔히 볼 수 있습니다. 동일한 관측값을 상위 차원의 복잡성 없이, 데이터 요소 간의 관계를 근사적으로 나타낼 수 있는 더 쉽게 관리할 수 있는 하위 차원으로 표현하기 위해, 차원을 줄이는 것이 일반적입니다. 이러한 접근법을 '차원 축소'라고 합니다.

4.3 차원 축소

차원 축소는 데이터의 투영 또는 변환 과정이라고 볼 수 있습니다.

데이터를 저차원으로 투영할 때, 중요한 정보를 최대한 보존하는 것이 바람직합니다. 즉, 데이터의 상대적인 거리와 밀도를 유지하면서 관측값의 특징을 시각화하기 쉬운 공간에 매핑하는 것이 중요합니다. 이러한 차원 축소 알고리즘에 관한 최신의 종합적인 분석은 특정 논문에서 찾을 수 있습니다. 해당 논문에서는 약 100가지의 다양한 방법론을 여러 매개변수와 수십 개의 다른 데이터셋에 적용하여 비교하고 있습니다. 이 연구는 차원 축소를 위한 접근 방식을 선택할 때 고려해야 할 요소가 많다는 것을 보여줍니다.

차원 축소를 고려할 때 주요 고려사항은 매개변수의 수, 알고리즘의 민감도, 데이터의 분산, 매개변수가 어떤 속성을 보존하는지 및 그 보존력의 정도, 그리고 노이즈에 대한 저항성입니다. 데이터 세트의 특성으로는 데이터의 양, 차원 축소 대상인 특징 벡터의 차원, 내재된 차원(데이터의 분산을 설명하는 주요 성분), 그리고 데이터의 희소성(데이터가 희소할수록 예측이 어려울 수 있습니다) 등이 있습니다.

차원 축소의 방법 중, t-분포 확률적 이웃 임베딩(t-SNE)과 균등 다양체 근사(UMAP)는 전반적으로 우수한 성능을 보였습니다. 이러한 기법들은 고차원의 데이터를 저차원으로 변환하는 과정에서 원래의 고차원 데이터의 구조나 관계를 최대한 보존하려고 합니다. 이 두 방법은 저차원 공간에서 데이터의 구조를 표현하기 위해 그래프 기반의 방법론을 활용합니다.

데이터를 가장 기본적인 형태로 표현하기 위해 먼저 고차원 데이터를 그래프 형태로 구성합니다. 이후, 저차원 그래프를 최적화하여 고차원 데이터의 구조를 가능한 한 유지하도록 합니다. t-SNE 알고리즘은 이를 위해 점 x_i와 점 x_j 사이의 조건부 확률 p_{ij}를 계산하여 이웃 관계를 설정합니다. 이 알고리즘을 통해 2차원 또는 3차원의 지도를 생성할 수 있습니다. 사용자의 선택에 따라 2차원 또는 3차원 지도를 생성할 수 있습니다.

이 확률은 평균 x_i와 분산 I를 가진 가우스 분포에서 도출되며, 분포의 중심점은 다음과 같이 간주됩니다. 저차원 공간에서는 q_{ij}와 같은 유사한 확률을 계산합니다. 그 다음, 경사 하강법을 이용한 최적화 접근으로 모든 데이터 포인트에 대한 쿨백-라이블러 발산을 최소화합니다. 이를 통해 q_{ij}와 p_{ij} 간의 차이를 평가합니다.

계산을 수행하기 전에, 학생 t-분포를 데이터에 적용하여 q_{ij} 값을 조정합니다. 이 접근이 't-SNE'라는 알고리즘의 이름의 기원입니다.

I의 값이 증가하면, 데이터 포인트 xi에 대한 조건부 확률 분포는 Pi의 엔트로피와 유사한 더 큰 엔트로피를 갖게 됩니다. 결과적으로, '난해성'이라는 새로운 매개변수가 도입되었습니다. 이 매개변수는 pi의 섀넌 엔트로피와 연관되어 있으며, 유효한 이웃 수를 원활하게 측정합니다. 이 지표에 대한 논란이 있어 많은 연구가 이루어졌고, t-SNE의 난해성 매개변수의 민감도와 지도의 해석에 주의를 기울여야 한다는 점이 확인되었습니다. 이는 클러스터의 크기, 거리 및 형태가 지도에 표현되지만 실제 상황에서 의미가 없을 수 있기 때문입니다.

UMAP은 t-SNE의 부족한 점을 보완하여 나왔습니다. UMAP은 계산이 빠르며, 더욱 간결하고 해석하기 쉬운 지도를 제공합니다. UMAP는 통합 다양체 근사화 프로세스(Unified Manifold Approximation Process)의 약자로, 데이터의 복잡한 구조를 근사화하기 위한 방법입니다.

UMAP 알고리즘은 각 데이터 포인트를 중심으로 공을 그리고, 그 공에 가장 가까운 k개의 점을 포함하는 반지름을 계산합니다. 이 과정은 점들이 결합될 때까지 반복됩니다. UMAP에서는 거리를 선택 기준으로 사용하는 대신 가장 가까운 k개의 이웃을 기준으로 합니다. 각각의 공은 고유한 메트릭 공간에서 반경이 1이라고 가정됩니다.

UMAP은 위상학적 도구를 사용하여 데이터의 복잡한 구조를 추정하고, 이 구조를 저차원 공간에 투영합니다. 이러한 투영을 위해, UMAP은 데이터 포인트가 균일하게 분포되어 있다고 가정합니다.

최종적으로 최적화할 목표 비용 함수 J는, 고차원과 저차원에서의 모든 에지의 가중치, 즉 wh와 wl 간의 교차 엔트로피입니다.

$$J = \sum_{r \in E} Wh(e)\log\left(\frac{Wh(e)}{WI(e)}\right) + (1 - Wh(e))\log\left(\frac{(1 - Wh(e))}{(1 - WI(e))}\right)$$

(4.4)

데이터의 저차원 맵에서 점의 위치는 고차원 데이터의 위상적 표현에 있는 에지의 가중치에 기반하여 결정됩니다. 이 방법을 통해 데이터의 저차원 맵에서 각 점의 위치를 정확하게 파악할 수 있습니다. 이 접근 방식의 최종 결과는 직관적이고 가독성 있는 맵을 제공하는 것이며, 맵 내에서의 점과 클러스터 간의 거리는 해당 맵을 사용하는 컨텍스트에 따라 중요성을 가집니다.

4.4 기계 학습 및 심층 학습

4.4.1 역사

1646년, 피에르 드 페르마는 미분할 수 있는 함수의 국부적 최대값과 최소값을 발견하는 데 사용할 수 있는 일반적인 방법을 만들었습니다. 이 방법을 통해 함수의 국부 최대값과 최소값을 구할 수 있었습니다. 이 특정 연산 중에 함수의 미분 값이 0과 비슷해지도록 변경되었습니다. 이 방법은 거의 모든 최신 버전의 미적분 교과서에서 찾을 수 있는 미분의 많은 응용 방법 중 하나입니다.

또한 미분의 가장 일반적인 응용 방법 중 하나이기도 합니다. 미분과 솔루션 환경 탐색은 대부분의 머신러닝(ML) 및 딥러닝(DL) 접근 방식에서 찾아볼 수 있는 중요한 구성 요소입니다. 이 두 가지 유형의 학습은 모두 인공 지능의 한 형태로 분류됩니다. 이 두 가지 문구는 모두 문제를 해결하는 데 사용할 수 있는 다양한 옵션을 결정하고 분석하는 과정을 암시합니다. 갤턴은 1894년경 회귀를 목적으로 선형 모델을 사용하는 아이디어를 최초로 고안한 인물로 알려져 있습니다.

이는 대부분의 학자들이 동의하는 사실입니다. 그럼에도 불구하고 선형 모델을 적합한 형태로 처음 정의한 것은 1930년 피어슨 (Pearson)이었습니다. 1958년에 개발된 로젠블랫의 퍼셉트론 방법 [2]은 이원 로지스틱 회귀 모델에 적합할 수 있습니다. 추정치를 생성하기 위해 소프트웨어는 반복적 방법론과 함께 방정식을 사용합니다. 기존 솔루션은 추정 기울기 방향으로 조정되었으며, 반복 중 어느 시점에서든 yi 값이 음의 부호를 취하는 경우 다음과 같이 작성할 수 있습니다: gi (yi yi)xi.

1847년 코쉬가 개발한 이 경사 하강 방법은 많은 사람이 기계가 스스로 생각할 수 있다고 믿게 만든 방법론입니다. 코시의 접근 방식은 최초의 접근 방식이었습니다. 1847년 코시가 제안한 경사 하강 기법이 개발되었습니다. 회귀 및 분류를 수행하는 데 사용할 수 있는 수많은 머신러닝 방법 중 하나인 경사 하강은 아주 짧은 기간 동안만 사용되어 온 알고리즘 중 하나입니다. 경사 하강은 아주 최근에 개발되었습니다.

1963년, 모건과 손퀴스트가 회귀 트리의 개념을 처음 개념화한 사람이었습니다. 회귀 트리 모델을 사용하면 데이터를 먼저 재귀적으로 두 개의 하위 집합으로 분할하고 그 중 하나가 불순물의 척도로 사용되는 경우 데이터에 조각별 상수 함수를 맞출 수 있습니다. 회귀 트리 모델을 사용하여 이 작업을 수행할 수 있습니다. 이 작업은 데이터에 가장 잘 맞도록 함수를 조정하여 수행됩니다. 전체 분산이 가장 낮은 데이터 분할 방법은 가능한 한 항상 사용해야 하는 방법입니다.

1984년에 브라이먼은 "분류 및 회귀 트리(Classification and Regression Trees, CART)"라는 이름을 생각해 냈으며, 경우에 따라 CART로 약칭하기도 합니다. 그 외에도 그는 새로운 분할 기준, 불순물에 대한 새로운 메트릭 및 기타 개선 사항을 포함하여 알고리즘을 개선했습니다. 이후 CART에서 부스팅의 개념은 통계에서 비롯되었습니다. 분류하기 어려운 데이터에 반복적으로 집중하는 것이 통계가 하는 일(또는 분리 또는 모델링)입니다. 부스팅에 이어 그라디언트 부스팅이 등장했는데, 이는 이전의 모든 트리 개선 사항과 비용 함수의 그라디언트를 사용한 이후의 개선 사항을 결합한 것입니다. 이는 모든 트리를 후속 개선 사항과 결합하여 수행되었습니다.

부스팅 프로세스는 다음 단계로 여기까지 진행되었습니다. 여러분은 이미 이러한 비용 함수 중 첫 번째 함수인 1 2를 '올리기'(이이)라고 부르는 것에 대해 잘 알고 계실 것입니다. ML은 상당 기간 동안 다양한 애플리케이션에서 활용되었으며, DL이 그 위에 구축할 수 있는 토대를 제공했습니다(현재는 어려운 작업에서ML을 거의 대체했습니다). 머신러닝 모델에서 일반화의 어려움은 데이터 세트에 대해 학습된 후에는 생성된 가중치가 의미가 없거나 새로운 데이터로 이전할 수 없다는 것입니다.

이 때문에 머신러닝 모델의 결과를 일반화하기는 매우 어렵습니다. 우리가 처한 이러한 상황을"일반화 문제"라고 합니다. 머신러닝은 물체를 인식하는 작업이나 음성을 식별하는 작업 모두에 그다지 능숙하지 않았습니다. 특히 후자의 경우 실력이 형편없었습니다. ML이 각 영역에서 받은 점수는 다소 낮았습니다. 머신러닝이 지금까지 존재하면서 활용할 수 있었던 정보와 특성의 양이 다소 제한적이었기 때문입니다. 그 직접적인 결과로, 다른 것보다 더 유리한 특성을 선택하기 위해 피처 엔지니어링의 사용이 필수적이 되었습니다. 차원 수가 증가함에 따라 '차원의 저주'로 널리 알려진 현상이 뚜렷해지기 시작했습니다.

그 결과 머신러닝 알고리즘이 작업을 완료하는 데 지나치게 많은 시간이 걸리거나, 수렴에 실패하거나, 비정상적인 방식으로 작동하는 현상이 발생했습니다. 머신러닝과 DL이 일반화할 수 있으려면 이전의 개념에 의해 주도되는 것이 필수적이며, 더 많은 증거가 제시될수록 더 좋습니다. 따라서 빅 데이터의 탄생을 이끈 요소 중 하나인 관찰의 수가 증가함에 따라DL은 자체적인 규칙과 구조는 물론 점점 더 많은 매개변수로 가득 찬 채로 진화했습니다. 이것이 바로 빅 데이터의 발전에 기여한 요소 중 하나였습니다. 딥러닝은 부분적으로는"빅 데이터"라고도 하는 대량의 데이터를 사용할 수 있었기 때문에 가능했습니다.

4.4.2 의사 결정 트리

익스트림 그래디언트 부스트 트리(약어XGBoost)는 2016년에 처음 등장한 이후 빠르게 두각을 나타내며 가장 널리 사용되는 회귀자 및 분류기 중 하나가 되었습니다. XGBoost의 확장성은 희소 데이터의 존재에 영향을 받지 않고 근사치를 사용해 트리 학습을 지원한다는 사실에 기인합니다. 이 두 가지 요소는 모두 빠르고 효율적으로 학습할 수 있는 XGBoost의 능력에 기여합니다. K 트리와 f를 사용하는 트리 앙상블은 n개의 데이터 포인트 x와 m개의 특징을 포함하는 모든 주어진 데이터 세트에 대해 다음과 같이 설명할 수 있습니다. 이 정의는 K 트리를 사용하는 모든 트리 앙상블에 적용됩니다.

$$\hat{y}_i = \sum_{k=1} K f_k(x_i) \qquad (4.5)$$

모든 나무는 물리적 구성, 잎의 수, 전체 무게가 완전히 다릅니다. 모든 의사 결정 트리 알고리즘은 이러한 공통점을 가지고 있지만, XGBoost는 정규화된 비용 함수를 사용하며, 이는 모든 미분 가능한 함수로 확장될 수 있는 XGBoost만의 고유한 기능입니다. 이 때문에 다중 라벨 분류를 포함해 회귀와 분류가 필요한 다양한 작업을 수행할 수 있는 범용성을 가지고 있습니다. y(t) I를 반복 t 시점의 i번째 데이터 포인트에 대한 예측을 나타내면 비용 함수는 다음과 같이 표현할 수 있습니다:

$$J^{(t)} = \sum_{i=1}^{n} 1(y_{i\uparrow} \hat{y}_i^{(t-1)} + f_i(x_i)) + \Omega(f_k) \qquad \textbf{(4.6)}$$

$$\Omega(f) = \gamma T + \frac{1}{2}\lambda \|\theta\|_2 \qquad \textbf{(4.7)}$$

최종 학습된 가중치를 부드럽게 하고 과적합을 방지하기 위해 트리의 복잡성에 불이익을 주는 정규화와 비용을 높이기 위해 최고의 피트를 추가하는 탐욕스러운 관행을 의미하는 그라데이션 부스팅은 방정식 4.6에서 보여주는 두 가지 혁신입니다. 정규화는 최종 학습된 가중치를 부드럽게 하고 과적합을 방지하기 위해 트리의 복잡성에 불이익을 줍니다. 방정식 4.6의 미분 추정치를 사용하는 것은

XGBoost의 확장성을 더욱 개선하기 위해 수행할 수 있는 한 가지 잠재적인 추가 개선 사항입니다. 다른 잠재적 개선 사항은 다음과 같습니다: 또한, XGBoost 알고리즘은 컬럼 서브샘플링 및 축소를 작동에 통합합니다.

트리 부스팅 프로세스의 각 단계에서 추가된 가중치는 "축소"라는 프로세스를 통해 값을 줄입니다. 이는 사람이 학습하는 방식에 비유될 수 있습니다. XGBoost는 캐시 액세스 패턴, 데이터 압축, 공유와 같은 알고리즘 최적화 방법을 효과적으로 적용하여 10억 개 이상의 데이터 포인트로 확장 가능한 트리 성장 시스템을 구축했습니다. XGBoost는 전 세계에서 개최되는 주요 머신러닝 경진대회에서 가장 널리 사용되는 의사 결정 트리 알고리즘 중 하나입니다. 그 이유 중 하나는, 더 현대적인 방법이 등장했음에도 불구하고, 중요한 특징과 그 이유를 분석할 수 있는 해석 가능성 때문에 여전히 선호된다는 점입니다.

4.4.3 딥 러닝

신경망, 다층 퍼셉트론 또는 피드 포워드 네트워크라고도 알려진 심층 신경망은DL의 패러다임입니다. 이러한 유형의 네트워크에 대한 다른 이름으로는 신경망과 피드 포워드 네트워크가 있습니다. 신경망과 피드포워드 네트워크는 모두 다양한 종류의 네트워크를 지칭하는 데 사용될 수 있는 용어입니다. DL 네트워크의 주요 목표는 특징 벡터x를 클래스y로 변환하는 분류기y = f(x)와 같은 함수f 의 근사치를 생성하는 것입니다. 이 근사치를 사용하여 예측을 수행할 수 있습니다. 이러한 근사치를 과학계에서는 흔히 범용 함수 근사치라고 합니다. 신경망의 기본 구성 요소는y = f(x,) 형식의 함수이며, 목표는 함수의 가장 정확한 근사치를 제공하는 값을 찾는 것입니다.

신경망과 선형 모델의 가장 큰 차이점은 신경망은 비선형인 반면, 앞서 설명한 선형 모델은 선형이라는 점입니다. 이것이 두 가지 유형의 모델 간의 주요 차이점입니다. 신경망의 비용 함수는 대부분 비볼록형입니다. 이는 신경망이 비선형적이기 때문입니다. 이는 전체 규모에서 최적의 솔루션을 찾을 수 있다는 모든 약속이 사라지고 대신 더 정확하고 관리하기 쉬운 일련의 단계에서 경사 하강이 사용된다는 것을 나타냅니다.

4.4.4 신경망

노드는 신경망의 기본 구성 요소이며 서로(또는 뉴런) 상호 연결되어 있습니다. 이러한 연결이 모여 비순환 그래프를 만들고, 이 그래프는 입력을 결정으로 변환한 다음 숨겨진 계층으로 알려진 네트워크의 일부로 전송하는 데 사용됩니다. 이 그래프는 각 링크에 편향도와 가중치의 합과 동일한 가중치를 할당하며, 활성화 함수라고 하는 함수의 도움을 받아 이를 수행합니다. 숨겨진 여러 수준의 가중치 연결을 통과한 데이터는 궁극적으로 출력 레이어에 도달하여 솔루션을 제공하기 위해y와 동일한 공간으로 집계됩니다.

만약 손실(또는 비용) 함수 J가 솔루션이 적절하지 않다고 판단하면, 오류는 모든 활성화 함수의 기울기를 활용한 업데이트 형태로 역전파됩니다. 완전 연결 신경망(FNN)은 네트워크의 모든 연속적인 계층에 있는 노드가 서로 연결되어 있음을 나타내며, 그 특성 때문에 이 이름을 갖게 되었습니다. FNN은 초기에 개발된 신경망 유형 중 하나입니다.

이 개념은 그림4.1에서 볼 수 있는 한 장의 그림으로 설명됩니다. 완전히 연결된 네트워크는 서로 연결되지 않은 데이터 포인트에서도 작동할 수 있습니다. 그러나 이미지 분석 및 컴퓨터 비전 분야에서는 미리 정의된 그리드 레이아웃을 가진 데이터와 이미지로 작업하는 것이 목표입니다. 이러한 종류의 첫 번째 네트워크는 "합성곱 신경망"이라고 불리며 이미지 분류(CNN)를 수행하는 데 사용되었습니다. 이 네트워크는(텍스트 또는 이미지의) 시퀀스로 작동할 수 있기 때문에 "순환 신경망"이라고 불립니다(RNN). 이후 몇 년 동안 그래프와 같은 다양한 토폴로지의 데이터를 평가하기 위해"그래프 신경망"(GNN)이라는 개념이 만들어졌습니다. 이 아이디어는 다양한 토폴로지의 데이터를 연구하기 위한 목적으로 만들어졌습니다.

흔히 '기하학적 딥 러닝'이라고도 불리는 이 모델은 머신 러닝과 딥 러닝 모델을 그래프, 메시, 다양체와 같은 비유클리드 영역으로 변환하려는 시도를 합니다. 특히 이러한 시도의 목표는 모델의 정확도를 향상시키는 것입니다.

4.4.5 GNN과 노드 표현

딥러닝은 유클리드에 숨어 있는 패턴을 발굴하는 데 특히 뛰어납니다. 게다가 딥러닝은 패턴 인식과 더불어 데이터를 그래프 형태로 표시해야 하는 데이터 분석 분야에는 광범위하게 응용할 수 있다는 장점이 있습니다. 일부 응용 분야는 다음과 같습니다: 예를 들어, 소매업에서는 고객에게 더 나은 서비스를 제공하기 위해 고객과 고객이 구매하는 제품 간에 발생하는 상호 작용을 설명하는 데 데이터 그래프를 사용합니다. 또한, 인용 네트워크의 기사는 서로 공통된 인용을 통해 서로 연결됩니다.

소셜 네트워크 사용자는 네트워크 사용을 통해 서로 친구가 될 수 있습니다. 그래프는 센서 네트워크와 컴퓨터 그래픽 메시 외에도 가능한 또 다른 표현 방법입니다. 화학 물질, 유전자 발현 패턴, 조직 내 세포 군집을 연결하는 생물학적 네트워크는 이 논문과 특별한 관련이 있습니다. 노드 간에 임의의 연결이 있는 다양한 수의 정렬되지 않은 노드로 구성된 그래프의 불규칙한 토폴로지는 기존 머신러닝 및 딥러닝 알고리즘에 중대한 과제를 제공합니다.

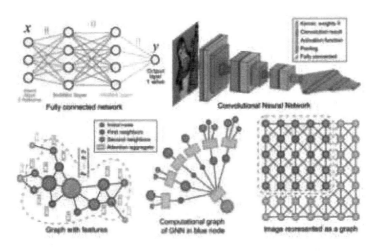

그림4.1. 서로 다른 신경망 아키텍처, FNN, CNN, GNN. FNN은 각 레이어 사이의 모든 노드를 연결합니다.

CNN이 사진을 설명할 수 있도록 하기 위해 이미지의 기본 속성을 캡처할 수 있는 커널을 학습합니다. CNN의 그림에는 예시 그래프 뿐만 아니라 노드의 이웃을 기반으로 한 노드에 대한 표현을 제공하기 위해 수행해야 하는 계산도 포함됩니다. 네트워크의 노드에는 네트워크의 다른 노드가 첫 번째 이웃이고 다른 노드가 두 번째 이웃임을 나타내는 색상 코드가 주어집니다. 또한 네트워크에 있는 노드의 크기는 네트워크의 다른 노드와 연결된 정도를 나타냅니다.

반면에 이미지를 네트워크와 같은 것으로 생각할 수 있는데, 이 경우 각 픽셀은 노드 역할을 하며 바로 옆에 있는 8개의 픽셀과 연결됩니다. CNN은 사진으로 작업할 때 훨씬 더 나은 성능을 발휘하지만, GNN은 다양한 차수와 다양한 수의 이웃을 가진 노드가 있는 그래프에서 작동할 수 있습니다. 컨볼루션과 같은 절차는 이 사실에 직접적인 영향을 받기 때문에 재고할 필요가 있습니다. 그러나 목표는 전혀 변하지 않았습니다. 네트워크 임베딩이라고도 하는 그래프 임베딩은 GNN이 수행할 수 있는 많은 애플리케이션 중 하나입니다. 그럼에도 불구하고 데이터 마이닝과 관련하여 그래프 임베딩은 가장 흥미로운 애플리케이션 중 하나입니다.

네트워크 임베딩의 목적은 그래프의 구조를 유지하는 것입니다. 그래프의 노드를 저차원 벡터 표현으로 표현하여 노드와 연관된 정보뿐만 아니라 그래프의 구조를 유지하는 것입니다. 이는 그래프에 노드를 표현함으로써 이루어집니다. 이러한 저차원 벡터 표현을 사용할 수 있으면 분류, 그룹화, 추천과 같은 후속 분석 작업을 저차원 벡터 표현을 통해 가능한 방법을 사용하여 비교적 쉽게 수행할 수 있습니다.

노드를 임베드하는 데 사용할 수 없는 특정GNN이 있으며, GNN(또는 딥)으로 분류할 수 없는 노드를 임베드하는 기술도 있습니다. 그러나 길머의 신경 메시지 전달 해밀턴의 GraphSAGE와 벨리코

브의 그래프 주의 네트워크는 이 두 가지의 교차점에서 등장했으며, 이웃과의 관계와 노드가 가진 특징을 모두 포착하는 노드의 표현을 학습하기 위한 모델을 정의했습니다. 이 세 편의 논문은 저널에 게재되었습니다. Gilmer의 신경 메시지 전달 해밀턴의 GraphSAGE와 Velickovi c의 그래프 주의 네트워크[노드 임베딩을 위한 GNN의 일반 모델]의 함수는 다음과 같습니다:

$$h_u^{(0)} = X_u \uparrow \qquad \textbf{(4.8)}$$

$$h_u^{(k+1)} = UPDATE^{(k)}(h_u^{(k)}, AGRREGATE^{(k)}(h_v^{(k)}, \forall_v \in N(u)))$$

$$(4.9)$$

만약, h (k) u가 u의 숨겨진 임베딩의 k번째 업데이트이고 집계 연산은 u의 이웃 N에 있는 노드의 정보만 받아들인다면, 여기서 N은 u가 속한 이웃의 노드 수입니다. 집계 연산은 다음과 같은 특성만 가지고 있다면 거의 모든 것을 집계 함수로 사용할 수 있습니다:

1. 순열 불변성(노드의 순서가 결과에 영향을 미치지 않아야 함).

2. 노드가 연결된 정도에 민감하지 않음. 불안정할 수 있는 집계 유형 중 하나는 합계인데, 차수가 매우 높은 노드가 있으면 합계가 불안정해집니다(이웃이 많음).

3. 위치; 이 시점에서는 인접한 이웃만 고려하면 됩니다. (iv) 가중
   치 공유: 노드 수가 모델에 영향을 미치지 않도록 하고 모델이
   귀납적이고 이전에 볼 수 없었던 노드로 일반화될 수 있도록 합
   니다.

RNN에서도 광범위하게 적용되고 있는 주의집중 접근법은 데이터
수집의 방법으로 활용하기 위해 사용하됩니다. GAT는 관심도 집계
를 사용하며, 이는 이웃의 가중치 합으로 생각할 수 있습니다. 다음
은 이러한 이웃의 목록입니다:

$$m_{N(u)} = \sum_{v \in N(u)} a_{uv} h_{v\uparrow} \qquad (4.10)$$

여기서 au,v는 노드u의 피처를 집계하는 동안에만 이웃v $\in$N(u)에
대한 관심 가중치입니다.

$$a_{u,v} = \frac{\exp(a^T[Wh_u \oplus Wh_v])}{\sum v' \in N(u)\exp(a^T[Wh_u \oplus Wh_{v'}])} \qquad (4.11)$$

여기서 a는 훈련 가능한 주의 벡터, W는 훈련 가능한 행렬, 연결
은 이 둘을 결합한 훈련 효과를 보여줍니다. a와 W는 모두 훈련

가능한 변수입니다. 다양한 형태의 신경망은 그림4.1에서 확인할 수 있습니다. 신경망은 그 복잡한 아키텍처로 주목받고 있으며, 그 명성도 큰 영향을 주고 있습니다. 하나의 노드에 대한 계산 그래프와 그에 대한 예제를 통해 그래프 구성 방법을 설명합니다.

노드 이웃의 특성을 계산하고 축적하는 과정은 중앙 노드에 이웃에 대한 정보를 요약하여 제공하는 데 사용됩니다. 이를 통해 중앙 노드는 주변 노드의 특성에 기반한 아이덴티티를 얻을 수 있습니다.

5장. 국소적 설명

모든 객체 인식 시스템의 기본 조건은 이미지를 분류기에 적합한 특성으로 변환할 수 있는 이미지 설명이 있어야 한다는 것입니다. 사진을 묘사하는 방법은 설명하는 이미지의 특징에 따라 뚜렷한 방식으로 분류되어 많은 연구의 주제가 되어 왔습니다. 이러한 연구를 통해 여러 가지 접근 방식이 개발되었습니다. 가장 국소적인 설명은 위치, 강도 또는 색상과 같은 픽셀 정보를 여러 가지 고유한 색상 공간 중 하나로 해석합니다. 다양한 색 공간이 있습니다. 픽셀을 중심으로 매개변수화된 모양을 사용하여 이미지를 분석하는 것이 패치를 기반으로 하는 방법입니다. 이러한 패치의 크기는 한 픽셀에서 전체 이미지의 크기까지 다양할 수 있지만, 패치가 속한 파라메트릭 계열은 이미 미리 알려져 있습니다. 패치는 정사각형, 직사각형, 원, 타원 또는 특정 항목의 모양을 취할 수 있습니다.

패치의 크기가 클수록 이러한 패치의 개별 픽셀 속성에 대한 고차 통계를 계산하는 것이 가능합니다. 이러한 고차 통계의 몇 가지 예로는 평균 색상과 가장자리 방향의 히스토그램이 있습니다. 가장 철저한 설명은 전체 이미지의 데이터를 고려하여 공간 피라미드 접근 방식이나 '요점' 설명자와 같은 기술을 사용하여 픽셀 또는 패치 속성을 축적하는 것입니다. 그럼에도 불구하고 비지도 분할로 인해 비합리적으로 형성된 영역에 대한 일관된 설명을 제공하기 위한 노력은 그다지 많지 않았습니다. 대부분의 노력은 패치 기반 설명자의 임시 변경으로 이루어져 왔으며, 그 결과 포괄적인 설명을 제공하지 못했습니다.

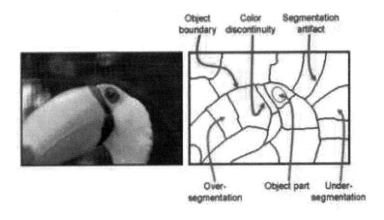

그림5.1. 다양한 유형의 세분화 생성 영역(파란색)과 영역 경계(빨간색)를 나타낸 그림.

그림 패치와 달리 세분화 섹션은 놀라울 정도로 다양한 형태와 크기를 가질 수 있으며 각각 고유합니다(이에 대한 예는 그림5.2 참조). 3장에서 설명한 것처럼 세분화 기법과 기본 사진 데이터는 영역의 형태와 크기가 규칙적이거나 불규칙적이거나 작거나 클 가능성에 영향을 미칠 수 있습니다. 이러한 영향은 상황에 따라 유리하거나 해로울 수 있습니다.

완벽한 세계에서는 장소의 경계와 항목의 특성이 모든 면에서 서로 동일하게 일치할 것입니다. 반면에 일부 지역의 경계는 색상 불연속성과 같은 기존 이미지 구조와 겹치거나 세분화 기법의 아티팩트일 뿐 기존 이미지 구조와 일치하지 않습니다. 이는 세분화 기법이 기존 이미지 구조와 일치하지 않는 아티팩트를 생성하기 때문입니다.

이는 세분화 방법이 비선형 알고리즘을 사용하여 프로세스를 완료하기 때문입니다. 모든 것이 계획대로 진행된다면 각 섹션은 이미 눈과 같은 전체 객체 구성 요소를 자체적으로 가지고 있을 것입니다. 이는 모든 것이 계획대로 진행된다는 가정하에 이루어진 것입니다. 그러나 항목을 과도하게 세분화하면 부리가 여러 조각으로 부서질 수 있는 위험에 직면하게 됩니다. 이는 부상으로부터 자신을 보호하기 위해 감수하는 위험입니다. 이미지에 앵무새의 검은 깃털과 배경과 같이 다양한 물체의 픽셀이 포함된 섹션이 있는 경우에도 과소 세그먼테이션이 발생할 수 있습니다.

그 직접적인 결과로 그림5.1에서 볼 수 있듯이 세 가지 종류의 영역과 세 가지 종류의 영역 경계가 있습니다. 이들은 다음과 같이 서로 구분할 수 있습니다: 완벽한 세계에서는 각 영역을 앵무새의 눈과 같이 사물의 전체 구성 요소에 비유할 수 있습니다. 그러나 세분화가 지나치게 세분화될 위험이 있으며, 세심한 주의를 기울이지 않으면 부리가 산산조각이 날 수 있습니다. 이미지에 앵무새의 검은 깃털과 배경과 같이 다양한 개체의 픽셀이 포함된 섹션이 있는 경우에도 과소 세그먼트가 발생할 수 있습니다.

영역의 경계는 이상적으로 물체의 경계와 일치해야 합니다. 그러나 실제로는 이미지의 특징 공간에서의 불연속성을 반영하거나, 사용된 이미지 분할 알고리즘의 특성으로 인한 아티팩트로 인해 완벽히 일치하지 않을 수 있습니다. 이상적으로는 영역의 경계와 물체의 경계가 완벽하게 정렬되어야 합니다. 하지만 때로는 물체를 완벽하게 식별하는 영역의 경계를 찾는 것이 어려울 수 있습니다.

식별하려는 객체 클래스는 때때로 다소 변동성이 있을 수 있어, 이로 인해 분석이 더 복잡해질 수 있습니다. 즉, 일정한 규칙에 따라 정의된 구성 요소일지라도, 그 표현 방식에 따라 다른 인스턴스와는 다르게 보일 수 있습니다. 예를 들어, 그림5.2에서 치타의 오른쪽 뒷다리를 보면, 치타가 앉아있을 때는 다리가 구부려져 몸에 붙어 있는 반면, 서 있을 때는 다리가 뻗어져 몸과 겹치지 않는 것을 볼 수 있습니다. 이러한 변동성은 우리에게 더 세밀한 분석의 필요성을 강조합니다.

다음은 원본 이미지(a), 각 사진에 대한 비지도 분할(b), 실제로 객체가 포함된 영역(c), 원 형태의 수많은 관심 지점 패치(d)를 보여줍니다. 객체 마스크의 형성은 항목에 이미 존재하는 다양한 영역을 결합하여 수행할 수 있습니다. 객체 마스크를 생성하는 과정은 관심점의 움직이지 않는 특성으로 인해 관심점이 존재한다고 해서 더 쉬워지지는 않습니다.

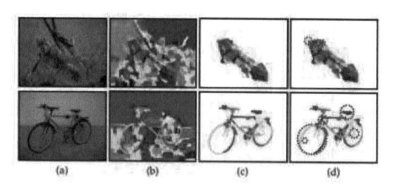

그림5.2. 비지도 이미지 분할, 관심 지점 및 객체 마스크의 예.

객체 마스크 기법은 평가 대상 지역 안팎에서 일어나는 속성과 공간적 상호작용을 적응 가능한 방식으로 표현할 수 있도록 합니다. 각 지역을 대표할 개인이 요구하는 조건 중 하나는 최소한의 감독하에 스스로 교육을 받을 준비가 되어 있어야 한다는 것입니다. 예를 들면, 트위터는 각 지역을 대표할 개인에게 해당 요건을 요구합니다. 불규칙한 형태의 객체를 정확하게 표현하려면, 훈련 데이터에는 정확한 객체 마스크가 포함되어야 합니다.

실측 객체 마스크를 큰 훈련 세트에서 생성하는 것은 많은 비용이 들기 때문에, 그 비용을 절감할 수 있는 방법을 탐구하고 있습니다. 이 장에서는 지역 대표성에 대한 문제와 그 해결 방법들에 대해 논의합니다. 첫 번째 표현 방식은 텍스처를 기반으로 하며, 텍스처가 제공하는 정보는 주어진 각 위치의 고유한 특성에 국한됩니다.

예를 들어, 치타의 각 털은 고유한 질감을 가지므로, 치타의 털에 대한 표현에 유용하게 쓰일 수 있습니다. 그러나, 치타의 머리처럼 반복되는 텍스처가 없는 부분은 보다 구체적인 방식으로 표현해야 합니다.

세분화 과정에 대한 연구에서, 객체의 특정 부분이나 그 주변의 영역을 표현하기 위해 그림의 구조적 요소를 사용하는 것이 유용하다는 것을 발견했습니다. 예를 들어, 귀의 특정 지점을 사용하여 귀를 표현할 수 있습니다. 이 문제에 대한 해결책으로, 우리는 지역 기반 컨텍스트 특징(RCF)라는 새로운 영역 설명자를 제안하였고, 이를 통해 이미지의 지역 내외 구조를 집계하는 방식을 개발하였습니다.

- **관련 작업**

객체 마스크 표현 혹은 분할 영역 표현에 관한 설명은 아래와 같습니다. 이미지 패치를 설명하는 대안적 방법은 다양하지만, 현재 논의 중인 문제와는 직접적인 관련이 없어 이 부분에서는 생략하도록 하겠습니다. 일정한 영역 설명자 그룹은 객체의 전체 윤곽을 모든 차원에서 파악하려고 합니다. '셰이프 컨텍스트(Shape Context)'와 '셰이프 형태(Shape Shape)'는 동일한 방식으로 객체의 실루엣을 표현합니다. 우선, 항목의 윤곽 주위에 마커 그룹을 배치하며, 이 마커들의 상대적 위치는 히스토그램으로 정리됩니다. 전체 물체를 설명한다고 가정하는 실루엣을 기반으로 합니다.

그러나 이 방식은 현재 맥락에서 적절하지 않다는 점을 명심해야 합니다. 정확한 대응을 위해서는 고정된 형태가 필요하나, 우리가 논의하고 있는 유동적인 객체와는 직접적인 관련이 없습니다. 쿠마르(Kumar) 등의 연구자들은 '레이어드 픽처럴 구조 모델(Layered Pictorial Structure Model)'의 각 요소를 효과적으로 표현하기 위해 형태 컨텍스트와 양자화된 강도 패치의 히스토그램을 결합하여 사용합니다. 이 방법은 모델이 가능한 한 정확하게 작동하도록 하기 위한 전략입니다. 주요 연구 주제는 서 있는 말과 소의 측면도와 같은 다양한 형태를 처리하는 것입니다.

토도로비치(Todorovic)와 아후자(Ahuja)는 영역을 모델링할 때 그레이스케일 값의 평균 및 표준 편차를 활용합니다. 또한, 영역의 질량 중심을 기준으로 k개의 동등한 '파이 슬라이스'에서의 질량 분포의 엔트로피를 이용하여 영역을 모델링합니다. 이러한 접근법의 자세한 내용은 본문에서 더 자세히 다룹니다. 추가적으로, 각 영역의 질량 중심 간의 거리를 기반으로 한 상대적 가중치를 사용하여 공간 구성의 특성을 시뮬레이션합니다. 이 방법은 영역과 공간 구조 간의 관계를 모델링하기 위한 것입니다. 영역은 다양한 객체 클래스 예제의 세그먼테이션을 통해 일정한 형태를 유지해야 합니다.

이는 다양한 객체 클래스의 세그먼테이션을 사용하는 것이 필요하기 때문입니다. 두 가지 지역 표현 모두에서는 여러 공통 문제가 있습니다. 그림 5.3은 영역의 질량 중심에 지나치게 의존할 때 발생할 수 있는 위험을 보여줍니다. 밀집된 영역에서 생성되는 구심점의 품질은 대체로 높지만, 이 구심점의 품질은 영역의 형태에 따라 변할 수 있습니다. 가장 약한 구심점은 영역 바깥에서 발생할 수 있습니다. 보렌스타인(Borenstein)과 말릭(Malik)[11], 레빈(Levin)과 와이스(Weiss)[68]는 상향식 슈퍼픽셀 클러스터링에 하향식 지침을 제공하기 위해 바이너리 양식 템플릿을 사용합니다.

자전거 프레임 같은 긴 형태의 영역에서 중심은 일부 영역의 픽셀로부터 상당히 멀어질 수 있습니다. 볼록하지 않은 영역에서는 최악의 경우 중심이 완전히 영역 바깥에 위치할 수 있습니다.

그림5.3. 다양한 영역 중심 품질 예시. 뒷바퀴에 있는 것과 같이 김픽드한 영역의 경우 중심은 영역 내에 있으며 영역의 픽셀에 가깝습니다.

제어하기 쉬운 단순한 형태의 언어를 유지하면서 복잡성을 유지하기 위해서는 제한된 범위의 객체 포즈(object pose)만이 필요합니다. 라마난(Ramanan)은 모양 모델(shape model) 훈련을 위해 색상 히스토그램(color histogram)과 확장된 객체 식별 경계 상자 (extended object identification bounding box)를 기반으로 한 2-cut 전략(2-cut strategy)을 사용합니다. 이 전략은 라마난에 의해 개발되었으며, 형태 모델(shape model) 훈련에 이 접근법이 채택되었습니다. 이 방법은 경계 상자(bounding box)를 주로 채우며, 사람(human), 얼굴(face), 자동차(car) 등에 대한 결과에서 배경(background)과 구별할 수 있는 색상 히스토그램을 갖는 객체에서 최상의 성과를 보입니다.

반면, 전체 객체 히스토그램(object histogram)보다 배경과 색조가 유사한 객체 영역은 제외하는 경향이 있습니다, 특히 객체 히스토그램이 더 진한 경우에 그렇습니다. Marszalek과 Schmid는 객체 마스크(object mask) 내의 특징(feature)의 신뢰도를 높이기 위해 SIFT 어휘집(SIFT vocabulary)의 용어를 사용합니다. SIFT의 기능을 활용하여 전체 객체 마스크를 맞추고 정렬하기도 합니다.

이 연구에서 Shotten 등은 그림의 구조(structure of the image)와 특징 패치(feature patch)의 상대적 위치를 활용하여 이점을 얻었습니다. 형태 템플릿(shape template)과 마스크(mask) 학습에는 각 기법마다 철저한 감독(supervision)을 받은 훈련 데이터

(training data)가 필요하며, 객체가 적절한 강도(stiffness)를 가진다는 암묵적 가정이 필요합니다. 형태 템플릿과 마스크의 사용 방법을 이해하기 위해서는 충분히 강한(stiff) 사물이 필요합니다. 영역 내부의 구성 요소(component)는 그 영역을 설명하는 데 사용되는 두 번째 설명자(descriptor) 계열로 표현됩니다. 이 특정 이미지에서 Russell과 그의 동료들은 영역 내부에 포함된 양자화된 SIFT 설명자(quantized SIFT descriptor)의 히스토그램을 사용하여 영역을 설명합니다.

이 표현은 한 지역 내에서 찾을 수 있는 정보에 대한 정확한 설명을 제공하지만, 한 지역과 인접한 지역에서 찾을 수 있는 정보는 고려하지 않습니다. 관심 지역 전체를 아우르는 지역을 만들 수 있다는 가정 하에 작동하기 때문에 이 지역 외부에 위치한 출처에서 얻은 정보는 쓸모가 없을 수 있습니다. 그러나, 이 가정으로 인해 이 지역 외부에서 얻은 정보의 중요성을 간과할 수 있습니다. 이 가정에 근거하여 진행하면 이 정보를 얻을 가능성이 높아집니다. 반면에 각 항목에 대해 하나의 영역만 존재한다는 가정은 지나치게 낙관적일 수 있습니다. 그 결과, 해당 지역의 주변에서 수집한 정보가 특정 상황에서 유용하게 작용할 수 있다는 의견도 있습니다.

세분화된 영역이 항목이나 청크의 경계와 정확히 일치한다는 것은 드문 경우입니다. 이러한 사실을 고려하면, 이 발견의 중요성이 더욱 명확해집니다. SIFT 디스크립터는 개별 구성 요소를 일치시키는 데는 유용하나, 반복적인 텍스처를 가진 사물을 식별하는 데는 제한적일 수 있습니다. 블롭월드 시스템은 텍스처의 평균 대비와 이방성, 그리고 컬러 히스토그램을 활용하여 영역에 대한 자세한 설명을 제공합니다.

이를 통해 시스템은 보다 정확한 영역 표현을 생성할 수 있습니다. 세분화 기법 중에서도 EM(Expectation-Maximization)이 가장 정확한 방법으로 알려져 있으며, 이를 활용하면 텍스처를 표현하는 다양한 수단을 적용할 수 있습니다. 그러나, 이 방법이 항상 적합한 것은 아닙니다. 반면, 블롭월드 시스템(Blobworld System)은 데이터를 매칭하고 검색하는 데에는 유용하지만, 오브젝트의 구성이나 위치 결정에는 직접적인 영향을 주지 않습니다. 사용자는 피드백 루프의 일부로 작용하며, 시스템은 사용자의 선택을 바탕으로 속성에 대한 상대적인 가중치를 학습합니다.

Tu와 같은 연구자들은 이미지 내의 텍스트와 얼굴 등의 특정 객체를 일반적인 그림 분할 영역과 통합하여 이미지 구문 분석(Image Parsing)을 수행하려고 합니다. 얼굴에는 경계 픽셀 모델

(Boundary Pixel Model)을, 텍스트에는 경계 스플라인 모델 (Boundary Spline Model)을 사용합니다. 그럼에도 불구하고, 이러한 모델들의 효율성을 극대화하기 위해서는 충분한 훈련 데이터나 과거 정보가 필요하다는 한계가 있습니다.

효과적인 세분화를 위해 가우시안 음영 모델(Gaussian Shading Model), 강도 히스토그램(Intensity Histogram), 및 이차 형태 (Quadratic Shape)를 사용합니다. 이러한 모델들은 세분화의 목적에 부합해야 하므로, 그 자체로 독특하게 구분될 필요는 없습니다.

호이엠과 같은 연구자들은 공간의 내부 구성 요소를 특성화할 때 다양한 정의 특성을 사용합니다. 이러한 특성에는 사진의 위치, 영역 면적, 텍스트온 필터뱅크(Texton Filterbank)의 특정 하위 집합에 대한 반응, 최대 반응을 나타내는 필터의 히스토그램 등이 포함됩니다. 카오와 페이페이는 SIFT 기술자(SIFT Descriptor)를 활용하여 영역의 내부 구성을 설명합니다.

또한, 영역과 관련된 정보만을 모델링하는 방식은 제한적일 수 있습니다. 사바레세와 같은 연구자들은 상관관계에 기반한 접근법을 제안하였지만, 이는 특정 영역에만 국한되어 적용되지 않았습니다.

RCF 기술자(RCF Descriptor)는 상관관계를 포함한 다양한 특성을 가지며, 이에 대한 상세한 내용은 후속 부분에서 다룰 예정입니다.

이러한 연구들은 이미지나 사진 분류를 위한 다양한 기법들을 제시하며, 특히 시각적 단어의 거리 의존적 히스토그램(Distance-dependent Histogram)과 같은 기법은 우리의 접근법과 유사한 특성을 가집니다.

- **텍스처 디스크립터**

영역을 표현하기 위한 첫 번째 접근 방식은 해당 영역의 내부 텍스처를 모델링합니다. 이 방식의 핵심은 텍스트온 히스토그램(Texton Histogram) 표현을 사용하는 것입니다. 이 기법의 핵심 개념은 영역을 구성하는 다양한 요소로 분해할 수 있다는 것입니다. 얼룩말이나 치타처럼 뚜렷하고 반복적인 텍스처를 가진 사물의 경우, 그들의 텍스처는 분류에 있어 유용한 단서가 될 수 있습니다. 그러나 이는 해당 영역의 텍스처가 뚜렷하게 구별될 때에만 유효합니다. 만약 텍스처가 다른 텍스처와 크게 구별되지 않는다면, 그 텍스처는 분류에 큰 도움이 되지 않습니다.

이 단원에서는 텍스처를 정의하는 두 가지 다른 접근 방식을 살펴볼 것입니다. 각 접근 방식은 서로 다른 특징을 가지며, 일부는 다른 방식보다 더 뚜렷한 장점을 갖습니다. 이러한 강점들은 이후의 활동을 통해 더욱 구체적으로 다룰 예정입니다. 또한, 반복적인 텍스처가 주로 나타나는 환경에서 RCF(Region Covariance Feature)가 더 효과적이라는 연구 증거도 제시될 것입니다.

5.1 TM: 영역 내 텍스톤 히스토그램의 모드

평균 시프트 기반 분할을 적용하여 생성된 이미지 영역이 있다고 가정한 다음, 이전 부분에서 언급한 것처럼30차원 텍스톤 히스토그램이라는 특징을 사용하여 연산을 수행한다고 가정합니다. 평균 시프트 필터링은 각 영역에 포함된 특징의 모드를 생성하므로, 텍스처의 자연스러운 표현은 영역 모드(TM)의 일부로 포함된30차원 텍스톤 히스토그램입니다. 정규화된 컷과 같은 다른 세분화 방법을 사용하는 경우, 영역 내부의 텍스톤 히스토그램 모드는 히스토그램의 평균으로 대체될 수 있습니다. 이는 정규화된 컷이 작동하는 방식 때문에 가능합니다.

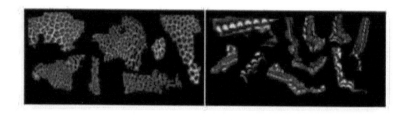

그림5.4. 판별 텍스처 클러스터 내의 이미지 영역 예시.
왼쪽의 특징 클러스터는 상위(최고 순위) 점박이 고양이 텍스처 특징 중 하나이고, 오른쪽의 특징 클러스터는 상위 마하온 나비 텍스처 특징 중 하나입니다.

모든 훈련 영역의 텍스트온 모드(Texton mode)는 K-평균 클러스터링(K-means clustering)에 의해 클러스터링됩니다. 이 결과로 생성되는 텍스트온 모드 어휘의 크기는 50,000에서 300,000 사이 입니다. 이 작업은 더 높은 수준의 일반성을 얻기 위해 수행됩니다. TMF(Texton Mode Feature), 때로는 "텍스트온 모드 기능"이라고 도 불리는 이 기능은, 각 모드를 중심을 가진 클러스터에 할당하는 방식으로 동작합니다.

그림 5.4는 이 접근 방식의 결과로서, 동일한 TMF 내에서 서로 다른 영역이 하나로 통합된 몇 가지 예를 보여줍니다. 왼쪽 이미지는 '점박이 고양이'의 텍스처가 포함된 사진 섹션을 나타냅니다. 이러한 이미지는 다양한 출처에서 가져올 수 있으며, 각 텍스처의 중요도는 규모에 따라 거의 동일하다는 것을 강조하는 것이 중요합니다.

반면, 오른쪽 이미지의 섹션은 마사온 나비의 텍스처를 보여주며, 그림의 다른 영역과는 다르게 이 부분은 다른 섹션과 텍스처가 유사합니다. 다음 섹션에서는, 결과의 변별력에 따라 텍스트온 모드 클러스터의 성능을 평가하는 방법을 살펴봅니다. 여기서 두 클러스터 중 어느 것이 각 객체 클래스에 대해 가장 변별력이 있는지 알게 될 것입니다. 이 글의 후속 부분에서는, 제공되는 데이터의 변별력을 기반으로 텍스트온 모드 클러스터의 성능 평가 방식에 대해 논의합니다.

5.2 TR: 한 지역의 텍스트온 히스토그램

세분화를 수행할 때, 원활한 그룹화를 위해 차원 수가 적은 텍스트온 공간(Texton space) (예: 30개 차원)을 사용하는 것이 이상적입니다. 반면, 영역 분류를 위해서는 변별력이 높은 텍스톤 어휘(Texton vocabulary)를 사용하면 영역의 텍스처를 높은 변별력으로 표현할 수 있는 디스크립터를 생성할 수 있습니다.

두 번째 텍스처 표현을 위해서는 새로운 텍스트온 어휘가 필요합니다. 이 어휘의 크기는 세분화에 사용된 어휘와는 별개로, 30개, 200개 또는 1,000개 중 하나가 될 수 있습니다. 그 후, 세분화된 영역에서 발견된 텍스트온 단어는 텍스트온 히스토그램(Texton histogram) (TR)로 컴파일됩니다. 이 텍스트온 히스토그램은 이전에 정사각형 창에서 계산했던 것과는 달리 전체 영역을 기반으로 생성된다는 것을 명심하세요. 이러한 히스토그램들은 그룹화하여 50~300 범위의 KTR 크기의 별도의 영역 디스크립터 어휘를 구축할 수 있습니다.

두 텍스처 디스크립터는 영역의 데이터 기반 윤곽을 반영할 수 있습니다. 만약 영역이 "뚱뚱한" 것으로 간주된다면, 테두리의 픽셀 수가 내부 픽셀의 이차 수보다 훨씬 적게 될 것이므로, 결과적으로 텍스처는 내부 텍스처를 더 잘 나타내게 됩니다. 그러나 영역이 길고 "얇은" 섹션으로 구성된다면, 내부 픽셀의 수가 테두리 픽셀의 수와 크게 다르지 않기 때문에, 텍스처 디스크립터는 오히려 경계 텍스처를 반영하게 됩니다. 예를 들어, 그림 5.2에 나타난 점박이 고양이의 몸체는 내부 픽셀이 테두리 픽셀보다 많아, 점박이 텍스처가 나타납니다. 반대로, 자전거 프레임은 긴 형태로 내부 픽셀이 적기 때문에, 선형 텍스처가 나타나게 됩니다.

- **지역 기반 컨텍스트 특징(RCF)**

지금까지의 논의를 통해 우리는 객체나 텍스처의 세부 영역을 식별하는 데 지오메트리만큼이나 해당 영역의 텍스처 특성이 중요하다는 것을 확인했습니다. 그럼에도 불구하고, 객체나 텍스처의 전체 형태나 구조는 종종 특정 세부 영역의 텍스처 특성에 의해 가려질 수 있습니다.

치타의 예에서 보았듯이, 뚜렷한 텍스처가 있는 영역은 쉽게 식별될 수 있지만, 매끄럽거나 뚜렷한 텍스처가 부족한 영역은 주변의 다른 특징, 예를 들면 형태나 위치 등을 통해 식별해야 합니다. 이는 텍스처의 부재가 정보의 부재를 의미하지 않음을 나타냅니다. 실제로, 많은 경우에 텍스처의 부재나 변화는 해당 영역의 중요한 특성이나 기능에 대한 중요한 단서를 제공할 수 있습니다.

이런 관점에서, 텍스처와 형태, 그리고 컨텍스트 사이의 균형은 객체나 텍스처의 식별과 분류에 있어 핵심적인 역할을 합니다. 텍스처만으로는 충분하지 않을 때, 형태나 컨텍스트는 종종 추가적인 정보나 단서를 제공하여 정확한 식별이나 분류를 도와줍니다.

결론적으로, 세분화나 식별 과정에서는 텍스처, 형태, 그리고 컨텍스트를 동시에 고려하는 것이 중요합니다. 이 세 가지 요소는 서로 상호 보완적으로 작용하여 이미지나 영상의 다양한 영역을 보다 정확하게 이해하고 해석하는 데 도움을 줍니다.

이전 논의에서는 텍스처, 형태, 그리고 컨텍스트가 객체나 텍스처의 식별과 분류에서 중요한 역할을 하는 것을 확인했습니다. 이제 조명과 위치의 변화가 물체의 불균일성과 어떻게 결합되어 물체를 여러 조각으로 보이게 할 수 있는지에 대해 논의하겠습니다.

물체는 주변 환경의 조명과 위치에 따라 다르게 보일 수 있습니다. 이러한 변화는 물체의 불균일성과 결합되어 물체가 여러 조각으로 나눠져 보일 수 있습니다. 예를 들어, 조명의 방향이나 세기가 달라지면 물체의 일부 부분이 강조되거나 어두워질 수 있으며, 물체의 위치나 각도가 바뀌면 물체의 형태가 왜곡될 수 있습니다.

이러한 변화를 고려하면 주변 환경에서 얻은 정보가 물체를 보다 총체적으로 이해하는 데 도움이 될 수 있다는 것을 알 수 있습니다. 이러한 정보는 물체의 모양, 위치, 컨텍스트와 관련이 있으며, 객체 모델에 통합되어야 합니다. 이런 종류의 데이터를 포함하는 것은 최근 몇 년 동안 컴퓨터 비전 및 이미지 처리 분야에서 중요한 연구 주제 중 하나입니다.

과거에는 물체의 형상 정보를 연구하는 데 실루엣 기반 기법과 부품 기반 모델의 기하학적 관계라는 두 가지 접근 방식이 사용되었습니다. 이러한 방법들은 객체의 다양한 부분이 모양 정보를 통해 서로 연결되는 방식을 다룹니다. 또한, 공간 및 컨텍스트 모델을 사용하여 장면의 다른 구성 요소와 연결될 수 있습니다.

모양이나 공간적 연결에 엄격한 제약을 부과하지 않는 것이 모델에 유리할 수 있습니다. 이는 물체의 부분이 다양한 각도나 변형에서 관찰될 수 있기 때문입니다. 따라서 다양한 이미지 구조 간의 유사성을 묘사하는 것이 유용할 수 있습니다. 이렇게 하면 텍스처로는 식별할 수 없는 영역을 다른 부분과 연결할 수 있습니다.

이미지에서 텍스처가 뚜렷하지 않은 영역에 대해 다루고 있습니다. 이러한 영역은 사실상 텍스처가 없지만, 날개 주변의 점들과 매우 가까이 위치하고 있습니다. 이러한 점들이 이러한 영역의 형성에 관여할 수 있다는 것을 시사합니다. 이러한 영역 범주를 더 정확하게 정의하기 위해, 우리는 "지역 기반 컨텍스트 특징(RCF)"이라는 개념을 도입했습니다. 지역 외부로 나가서 지역의 레이아웃과 역사를 고려해 보는 것이 도움이 될까요? 패치 기반 방법에서는 패치 크기를 더 크게 확장하여 공간적 지원을 얻을 수 있습니다. 그러나 지역은 이러한 접근을 어렵게 만들 수 있습니다.

그림 5.1에서 보았듯이, 지역의 제한은 여러 가지 문제를 야기할 수 있습니다. 이로 인해 물체의 일부를 완전히 포함하지 못하는 영역이 발생할 수 있으며, 이러한 영역의 크기는 객체의 다른 인스턴스에서 반복되지 않을 수 있습니다. 따라서 영역 크기를 늘리는 것이 특정 기능을 높이는 해결책이 아닙니다. 그러나 관심 포인트의 스케일은 더 잘 반복될 수 있음이 밝혀졌습니다. 관심 포인트 검출기와 스케일 선택 방법을 사용하여 고정된 모양의 패치를 나타내고 주변 이미지 구조를 설명할 수 있습니다. 이러한 두 가지 접근 방식은 각각 장단점이 있습니다.

객체 마스크를 식별하기 위한 투명한 기술이 없다는 점은 관심 포인트와 패치를 사용하여 객체를 마스킹하는 데 문제가 됩니다. 그림 5.5에서 볼 수 있듯이, 원형 패치는 관심 지점(패치의 중심) 주변의 발생 및 범위를 반영합니다. 이러한 인스턴스는 원형 패치의 크기로 표시됩니다. 패치는 이미지의 구조를 식별하는 데 효과적이지만, 전체 세트 주위에 경계 상자를 그리거나 각 패치 주위에 개별 경계 상자를 그리는 것은 사용자 요구 사항을 충족시키지 못합니다. 이러한 접근 방법은 특정 픽셀을 나타내지 않는 반면, 다른 픽셀은 완전히 제외될 수 있습니다.

따라서 객체 마스크를 구축하기 위해 세분화 영역이 제공하는 공간적 지원과 관심 포인트 패치의 식별 가능성을 결합하는 전략을 채택하였으며, 이것이 최상의 결과를 제공할 것으로 생각됩니다. 로컬 이미지 패치에 대한 설명을 위해 잘 알려진 128차원 SIFT 설명자를 사용합니다. 패치의 위치는 로컬로 결정되어 드문드문 있을 수 있습니다.

첫 번째 열에는 관심 포인트 역할을 하는 가능한 패치의 예가 나열되어 있습니다. 중간 열에는 모든 관심 포인트 패치 주변의 경계 상자를 취하여 객체 마스크를 생성한 결과가 표시되며, 오른쪽 열에는 모든 개별 패치의 합을 취하여 마스크를 생성한 결과가 표시됩니다. 두 가지 방법 모두 정확한 객체 마스크를 생성할 수 없음을 보여줍니다.

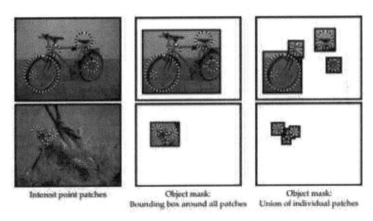

그림5.5. 관심점 패치를 객체 마스크로 변환하는 비효율적인 방법.

관심 지점 연산자 및 배율 선택 또는 이미지와 배율 공간 모두에서 밀접하게 구조화할 수 있습니다. 다른 표현 방법으로 "관심 지점 연산자 및 눈금 선택"이라고 할 수도 있습니다. 우리는 단일 이미지를 구성하는 점의 집합을 설명하기 위해 다음과 같은 방정식을 사용할 수 있습니다. 단일 이미지를 구성하는 점의 집합을 설명하기 위해P

= pi NP i=1 방정식을 사용할 수 있다고 가정해 보겠습니다. 이 방정식에서 pi는 배율을 나타내고 di는 로컬 설명자 역할을 합니다. 모든 훈련 사진에서 수집된 설명자 모음을 클러스터링하는 과정은 궁극적으로 NW 크기의 로컬 설명자 단어 W로 구성된 어휘를 개발하는 것으로 이어집니다. 설명자 "di"와 가장 가까운 이웃의 예로 "wi"라는 단어를 예로 들어 보겠습니다. 우리는 지역 간의 거리를 결정하기 위해 패치의 스케일I에 집중할 것입니다.

목표는 히스토그램이 생성되는 영역에서 중심이k + I 픽셀 이상 떨어져 있지 않은 로컬 단어의 모든 영역에 대해 히스토그램을 생성하는 것입니다. 따라서 지역 기반 컨텍스트 히스토그램 세트를 생성하기 위해서는 이러한 k-히스토그램에 가중치를 부여하고k 값에 반비례하여 가중치를 더함으로써 지역 기반 컨텍스트 히스토그램 세트를 구축할 수 있습니다. 이렇게 하면 지역 기반 컨텍스트 히스토그램(RCH) 세트가 생성됩니다.

좀 더 구체적으로 설명하기 위해 이미지에서 r을 영역이라고 하고, r 안에 포함된 픽셀 값은 pj로 표시하겠습니다. 각 단어당 하나씩 NW 빈이 있는 영역r에 대한 k-히스토그램을 변수 hk로 표시합니다. 이렇게 하면 단어의 분포가 표시됩니다. 히스토그램은 다음과

같이 작성합니다:

$$h_k(w) = |i \,|\, w = w_i, (k-1)\sigma_i < \min_{pj \in r} d\,(p_j(r), p_i) \leq k\sigma_i|.$$

(5.1)

여기서 d(,)는 이미지의 각 픽셀 좌표 쌍 사이의 유클리드 거리입니다. 시스템이 설정된 방식 때문에 k 값은 1과 2 사이 어딘가에 속하며, k = 1의 히스토그램에는 k = 0의 거리에 있는 점(실제로는 논의 중인 영역의 일부인 위치)이 포함됩니다. 그런 다음 각 히스토그램에 정규화된 값이 할당됩니다. k를 더 크게 만들면 히스토그램은 해당 영역에서 더 멀리 떨어져 있고 해당 영역과의 연결성이 약한 점들로 구성됩니다. 이렇게 멀리 떨어진 점들은 k에 비례하는 비율로 증가하는 범위 전체에 걸쳐 누적된 결과 맵 전체에 분산됩니다(k는 선형적으로 증가). 피라미드 커널에 도입된 스케일링은 k에 반비례하여 가중치가 부여되는 hk 가중치로 수행되는 스케일링과 유사합니다.

우리는 이 예제에서 분석을 진행할 동안에는 0.5에 해당하는 가중치를 사용할 것입니다. (k1). 가중치가 적용된 hk 값을 연결하면 최종 특징에 도달할 수 있으며, 이는 RCH = [h1, h2,..., hK]라는 표기법으로 표시됩니다. 그림5.6은 RCH 구성에 관련된 여러 단계에 대한 분석 및 개요입니다. 그래픽에서 빨간색은 전체적으로 반복되는 패턴을 가진 얼룩말 그림의 한 부분을 강조하기 위해 사용되었습니다. 각 원의 중심과 각 쌍의 동심원 중심에서 다양한 관심 지점을 찾을 수 있습니다.

이러한 관심 지점에 대한 설명자는 각각 노란색, 녹색, 파란색의 다양한 색상의 원으로 표시되는 세 가지 SIFT "단어"로 정량화되었습니다. 기호 k는 관심 지점을 둘러싸고 있는 동심원의 수를 나타내는 데 사용되며, 문자 I는 관심 지점 자체를 포함하는 원의 반지름을 나타내는 데 사용됩니다. 다시 말해, 동심원이 하나만 있으면 해당 지점이 해당 영역에서 1i 떨어진 곳에 위치하지만, 동심원이 두 개 있으면 거리가 2i임을 나타냅니다. 정규화되지 않은 RCH는 위쪽 히스토그램에 표시되고, 정규화되고 가중치가 적용된 RCH는 아래쪽 히스토그램에 표시됩니다. 영역과 관심 지점을 결합할 때는 영역의 크기를 기준으로 하는 방법보다는 그림5.7에서 유리한 것으로 입증된 RCH 전략을 사용하는 것이 좋습니다. 이는 그림5.7이 RCH 방법론의 장점을 잘 보여주기 때문입니다. 이미지 (a)의 그림 안쪽에 보이는 빨간색 영역은 그림5.6의 그림 바깥쪽에 보이는 영역과 동일합니다. 그림5.6의 점들은 해당 장소의 전체 면적을 반영하지는 않지만, 조사 과정에서 발견된 일부 관심 사이트의 위치를 보여줍니다.

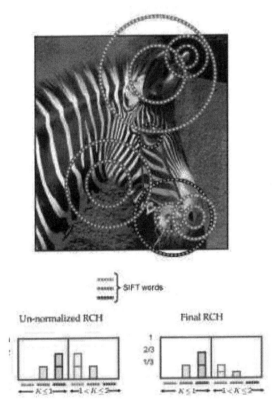

그림5.6. RCH 구성 그림. 위쪽 이미지는
얼룩말 이미지에 균일한 텍스처를 가진
영역(빨간색)을 보여줍니다.

영역의 크기를 바깥쪽의 빨간색 영역까지 지정된 비율만큼 확대하면 관심 지점을 모을 수 있습니다. 이를 상상하기 위해 풍경을 여러 개의 작은 부분으로 나누어 볼 수 있습니다. 아래 (b) 그림에서는 영역의 크기가 같은 비율로 증가하면 관심 지점 수집이 중단됩니다. 그림 (c)와 (d)에서도 동일한 지역 세분화가 표시되어 있지만 이번에는 기존 방식이 아닌 RCH 방법론을 사용하여 지역과 관심 지점을 결합하고 있습니다.

RCH는 지역의 크기에 의존하지 않고 관심 포인트의 규모에 의존하기 때문에 지역이 크지 않더라도 상당수의 관심 포인트를 기록할 수 있습니다. 불안정성을 고려할 때 각 원의 중심뿐만 아니라 각 동심원 쌍의 중심에서도 다양한 관심 지점이 발견될 수 있습니다. 이러한 관심 영역에 대한 SIFT 설명자는 각각 노란색, 녹색, 파란색으로 표시된 원으로 표시되는 세 가지 "단어"로 정량화되었습니다.

기호 k는 관심 지점을 둘러싸고 있는 동심원의 수를 나타내는 데 사용되며, 문자 I는 관심 지점 자체를 포함하는 원의 반지름을 나타내는 데 사용됩니다. 즉, 동심원 1개로 표시되는 거리는 1i, 동심원 2개로 표시되는 거리는 2i와 같습니다.

즉, 하나의 동심원으로 표시되는 영역으로부터의 거리가 1i와 같다는 것을 의미합니다. 왼쪽의 히스토그램에서는 정규화되지 않은 RCH를, 오른쪽의 히스토그램에서는 정규화되고 가중치가 적용된 최종 RCH를 확인할 수 있습니다.

서로 다른 사진 또는 세그먼트에서 동일한 객체 클래스의 인스턴스에서 발생할 수 있는 영역 차이에 대한 민감도를 이야기하고 있습니다. 훈련 데이터 세트를 구성하는 각 도메인에서 RCH를 추출한 다음, K-평균 방법을 사용하여 어휘로 분류하여 서로 함께 사용할 수 있도록 합니다.

지역 기반 컨텍스트 특징을 나타내는 RCF는 클러스터 센터의 역할을 수행합니다. RCF 할당으로 각 지역에는 RCH와 지리적으로 가장 가까운 위치에 물리적으로 위치한 RCF가 할당됩니다. 그림 5.8에 표시된 검은 제비나비에 대한 차별적인 RCF 클러스터 지역은 단지 일부 지역일 뿐입니다. 날개 내부에서 볼 수 있는 비차별적 텍스처와 달리, 이 반점 주변의 날개 테두리에서 볼 수 있는 패턴은 차별에 사용됩니다. 이 예는 지역 기반 컨텍스트 기능의 유용성을 보여줄 수 있는 잠재력을 가지고 있습니다.

이 장에서 우리는 영역 안팎의 이미지 구성을 설명하기 위한 두 가지 전략을 살펴봤습니다. 영역 내부에 포함된 반복적인 텍스처를 모델링하는 것은 텍스처를 기반으로 하는 표현의 책임입니다. 새로운 영역 기반 컨텍스트 기능은 특정 이미지 구조를 보다 정확한 방식으로 묘사하고 영역 외부의 정보를 원칙에 따라 결합합니다.

다음 장에서는 다양한 뚜렷한 사물과 연관된 특성을 구분할 수 있는 분류 시스템에 대해 설명하겠습니다. 또한, 현재 물체 식별 작업에 활용되고 있는 영역 표현을 평가하기 위해 이 접근 방식을 사용할 것입니다. 연구 결과는 설명자가 서로 다른 유형의 물체를 구분하는 데 도움이 되며, 이들이 함께 사용될 때 성능이 향상되는 상호 보완성을 보여줄 것입니다.

- **기여**

지역 기반 컨텍스트 기능(RCF)의 도입은 SIFT 기술자를 활용하여 지역을 설명하고, 반복 가능하며 변별력이 있으며, 비지도 분할 영역에서 얻은 데이터 기반 공간 지원을 제공합니다. 그림 5.6에서 빨간색 영역은 그림에서 표시된 영역과 일치합니다. 이를 더 자세히 확인하려면 그림 5.6 내부를 살펴보면 됩니다. 그림 5.6에 나타난 점들은 해당 위치의 전체 영역을 반영하지는 않지만 연구 과정에서 발견한 일부 관심 지점의 위치를 보여줍니다. 지역의 크기를 바깥쪽 빨간색 영역까지 특정 비율로 확대하면 제시된 관심 지점을 수집할 수 있습니다. 그림 분할 방식 때문에 영역을 같은 비율로 늘리면 해당 영역이 더 작은 부분으로 분할되어 관심 영역을 캡처할 수 없게 됩니다. 이에 대한 설명은 그림 (b)에 나와 있습니다.

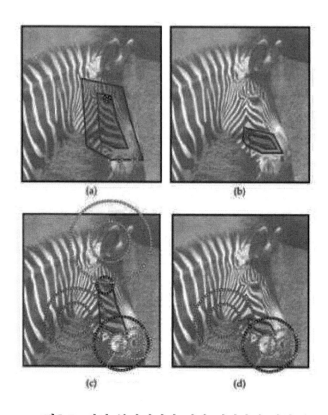

그림5.7. 영역 불안정성이 영역 설명자에 미칠 수
있는 영향에 대한 그림

그림(c)와 (d)에 동일한 지역 세분화가 표시되어 있지만 이번에는
기존 방식이 아닌 RCH 방법론을 사용하여 지역과 관심 지점을 결
합하고 있습니다. RCH는 지역이 아닌 관심 포인트 스케일에 기반
을 두고 있기 때문에 많은 관심 포인트가 여전히 더 작은 지역에
포착됩니다. 이는 관심 포인트 척도에 기반한 RCH의 결과로 지역
의 복원력을 향상시킵니다.

그림5.8. 검은제비나비에 대한 판별RCF 클러스터 내의 이미지
영역 예시. 빨간색과 흰색 윤곽선은 영역을 나타냅니다. 이러한
영역은 텍스처만으로는 판별할 수 없습니다.

6장. 로컬 세분화 확장 및 애플리케이션

6.1 소개

로컬 세그멘테이션 접근법을 성공적으로 사용함으로써 흑백 이미지에 존재하는 부가적인 노이즈를 완전히 제거할 수 있었습니다. 다양한 아이디어와 매개변수 구성의 상대적인 성능은 평균제곱오차(RMSE) 기준과 차이 이미지를 사용하여 연구하고 비교했습니다. 이미지 노이즈 제거는 로컬 세그먼테이션의 관점에서 사진을 볼 때의 이점을 입증하는 데 탁월한 선택이었으며, 이러한 이점을 입증하는 데 탁월한 성능을 발휘했습니다. 이미지 노이즈 제거는 이 작업에 환상적으로 어울렸습니다. 하지만 이미지 노이즈 제거를 더 이상 사용할 수 없다고 가정하는 함정에 빠지지 않도록 주의해야 합니다. 멀지 않은 미래에 더 많은 이미지 처리 애플리케이션에서 로컬 세그멘테이션이 중요한 구성 요소로 사용될 가능성이 높습니다. 로컬 세그멘테이션 분석이라는 방법을 사용하면 이미지를 신호 성분과 이미지를 구성하는 노이즈 성분으로 분해할 수 있습니다.

그 후에는 신호가 더 이상 노이즈의 영향을 받지 않아 신호가 더 강해질 수 있습니다. 이미지의 각 위치에 존재하는 구조적 특징에 대한 스냅샷을 제공하여 어떤 픽셀이 함께 속해 있고 경계가 어디에 있는지 보여줍니다. 이미지에서 서로 바로 옆에 있는 픽셀을 결합하여 이를 수행합니다. 그림 6.1은 저수준 이미지 처리의 첫 번째 단계로 로컬 세그멘테이션을 사용하는 것을 지지하는 논거를 제시합니다.

이러한 추론은 다른 곳에서도 찾아볼 수 있습니다. 이 첫 번째 단계는 향후 많은 활동을 개발하는 데 기초가 될 것입니다. 이 장에서는 이러한 각 애플리케이션의 예를 제시함으로써 로컬 분할을 사용하여 픽셀 분류, 에지 감지, 픽셀 보간 및 사진 압축을 수행하는 방법을 보여 드리겠습니다. 이는 픽셀 데이터를 분석하여 수행됩니다. 이 외에도 몇 가지 옵션을 연구할 것입니다

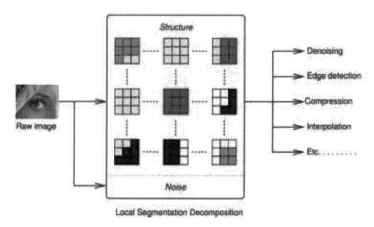

그림6.1: 핵심 이미지 처리 구성 요소로서의 로컬 세분화 분해

이미지 모델, 노이즈 모델, 세분화 알고리즘은 모두 로컬 세분화를 수행할 때 유용하게 사용할 수 있는 도구입니다. 이 외에도 시스템의 확장을 고려하여 다양한 데이터 유형을 수용할 예정입니다. 심층적인 연구를 수행하면 이 논문의 범위를 벗어나기 때문에 대부분의 주제는 간소화되고 일반화된 방식으로만 조사될 것입니다. 그럼에도 불구하고 몇 가지 하위 연구 분야에서 예비적인 적용과 결과를 제시할 것입니다.

6.2 다양한 노이즈 모델

이 책에서 다루는 FUELS 및 MML 기법은 각 픽셀에 독립적으로 동일한 방식으로 분포하는 부가적인 제로 평균 가우시안 노이즈를 제거하는 데 중점을 두었습니다. 이러한 노이즈에 대한 자세한 설명은 논문의 뒷부분에서 다룹니다. 다음 섹션에서는 곱셈 노이즈와 임펄스 노이즈와 같은 여러 형태의 노이즈 모델이 로컬 세그멘테이션을 위한 프레임워크에 어떻게 포함될 수 있는지 설명합니다. 이러한 노이즈 모델에는 임펄스 노이즈와 곱셈 노이즈가 포함됩니다.

6.2.1 임펄스 노이즈

여러분은 2.5장에서 다룬 에르고딕 임펄스 노이즈(Ergodic Impulse Noise)의 특성을 기억해보세요. 임펄스에 의해 어떤 방식으로든 조작된 이미지는 개별 픽셀 중 일부가 왜곡될 위험이 있습니다. 이런 손상은 가장 작은 크기의 로컬 부분에서 나타납니다. 이 부분은 상상할 수 있는 가장 작은 크기이므로 무작위 노이즈가 아닌 구조로 해석해야 합니다. 3.4.4절에서 여러분들은 다룬 중앙값 필터는 세그먼트와 윈도우의 교차점이 5픽셀 미만일 때 중앙 픽셀을 효과적으로 필터링할 수 없다는 것을 기억할 필요가 있습니다. 이는 교차점이 충분히 크지 않았기 때문입니다. 이를 MASS 값이 5인 것으로 생각할 수 있습니다.

중심 가중치 값을 조정하면, 섹션 3.4.4에서 다룬 중심 가중치 중앙값은 단순히 중심 가중치 값만 변경하여 다른 유효 MASS 값을 가질 수 있습니다. 모든 작업을 완료했을 때 MASS가 4로 감소했습니다. 이상적인 경우 MASS는 이미지에서 손상된 픽셀의 비율인 l에 따라 달라져야 합니다. 이것이 완벽한 조건입니다. 노이즈 추가 프로세스에 대한 전역 매개변수인 것과 마찬가지로, 로컬 세그먼테이션 프로세스에 대한 전역 매개변수인 MASS가 될 수 있습니다. 사용자가 제공하거나 사진 자체를 기반으로 추정할 수도 있습니다. 두 가지 옵션 모두 고려할 수 있습니다. 방정식 6.1은 특정 픽셀이 정확히 Ü개의 다른 픽셀로 둘러싸여 있을 확률을 측정하는 방정식입니다(8개의 다른 픽셀로 연결된다는 의미에서). 이 식에서 임펄스가 각각의 고유 픽셀에서 발생할 가능성은 문자 l로 표시됩니다.

$$\text{Pr(p has exactly n corrupt neighbours)} = \binom{8}{n} q^n (1-q)^{8-n}$$

$$(6.1)$$

특정 픽셀 주변에 손상된 인접 픽셀이 없을 확률을 계산하기 위해 "rF/r" 공식을 사용할 수 있습니다. 현재 상황에서 특정 픽셀의 손상 가능성은 매우 낮습니다. 이로 인해, 무작위로 선택된 픽셀이 손상되고 완전히 고립될 확률은 "l-..."입니다. 그럼에도 불구하고, 이러한 손상된 픽셀 중 약 4.3%만이 다른 손상된 픽셀과 인접하지 않는 것으로 나타납니다. 이것은 임펄스 노이즈가 주로 클러스터에서 발생하며 주로 쌍으로 발생한다는 사실과 일치합니다.

좋은 소식은 이러한 픽셀 쌍의 강도가 반드시 동일할 필요가 없다는 것입니다. "FUELS"의 멀티 클래스 버전은 수정 가능하며, 이러한 수정은 충동적인 노이즈를 제거하는 데에도 사용될 수 있습니다. 이전과 동일한 방식으로, 추정된 추가 노이즈 정도는 각 개별 픽셀에 대한 로컬 세그먼테이션의 최적 값을 결정하는 데 사용될 수 있습니다. 중앙 픽셀 주변의 픽셀 수가 MASS 임계값보다 낮은 경우 임펄스 세그먼트로 간주될 가능성이 있습니다. 임펄스 세그먼트를 구성하는 개별 픽셀에 대한 새로운 값이 할당되어야 합니다.

하나의 가능한 접근 방식은 중심 픽셀을 고려하지 않는 가장 큰 세그먼트의 평균을 계산하는 것입니다. 창의 경우, 이미지의 해당 영역에는 항상 중심 역할을 하는 픽셀과 매우 가까운 위치에 있는 픽셀이 포함됩니다. 그러나 큰 창의 경우 항상 해당되지 않을 수 있습니다. 이러한 아이디어를 더 발전시켜서 대체 픽셀에 대한 값을 결정할 때 이 사실을 고려할 수 있으며, 이것은 다음과 같이 이해할 수 있습니다: "그림 6.2에서 이 아이디어를 적용하면 5%의 임펄스 노이즈로 구성된 몽타주의 중앙 섹션에서 실제로 볼 수 있습니다.

이전에 설명한대로, 멀티 클래스 FUELS 알고리즘은 부가적 노이즈와 임펄스 노이즈를 모두 고려하기 위해 특정한 수정이 필요합니다. 이러한 수정은 필수적이었습니다. DNH를 허용하거나 중복 평균을 사용하는 것은 금지되었으며, 두 전략을 모두 사용할 경우 시스템이 더 복잡해집니다. 이 보고서에는 MASS 값이 2 및 MASS 값이 3인 경우의 결과가 포함되어 있습니다. 또한 비교를 용이하게 하기 위해 유효 MASS 값이 5인 중앙값 필터와 MASS 값이 4인 중앙값 3 가중 중앙값 필터의 결과도 포함되어 있습니다. "누락된 픽셀"을 처리하는 이 방법은 사진에 충동적인 노이즈가 있는 경우 완전히 허용되지 않으므로 이미지 여백을 무시해야 합니다.

MASS를 2로 설정하면 개별 픽셀 조각은 제거되지만 큰 부분은 원래 형태를 유지합니다. 그림 6.2를 보면 잔류 노이즈 대부분이 픽셀 쌍으로 구성되어 있으며 강도가 동일한 픽셀 쌍임을 알 수 있습니다. 그럼에도 불구하고 'i'의 점과 같이 단 두 개의 픽셀로 이루어진 영역은 그대로 유지되었다는 결론을 내릴 수 있습니다. MASS 값이 3인 경우, 수정된 FUELS는 MASS 값을 2로 줄인 후에도 대부분의 노이즈를 제거할 수 있었습니다. 그러나 이를 위해 창문 셔터 프레임, 문자 'j'와 '?'의 점, 문자 'a'의 구멍 및 끝 부분을 모두 제거해야 했습니다. 중앙값 필터링된 이미지는 초기에 깨끗해 보일 수 있지만, 필터링 과정에서 많은 미세한 디테일과 글자가 손상되었습니다. 가중 평균은 글자가 손상되는 문제가 있음에도 불구하고 전반적으로 더 나은 결과를 나타냈습니다. 문자 'FUELS'와 MASS 값이 2인 모든 조합이 최상의 성능을 보였습니다. 그림 6.3에서는 1번 실험을 다시 수행했으나 이번에는 결과에 10%의 불확실성이 있습니다. 이 관점에서 단일 픽셀 임펄스 세그먼트의 발생은 이전보다 훨씬 덜 자주 발생합니다. MASS 값이 2인 필터가 이러한 조건에서 상당히 잘 작동함에도 불구하고 여전히 상당한 양의 노이즈가 존재합니다.

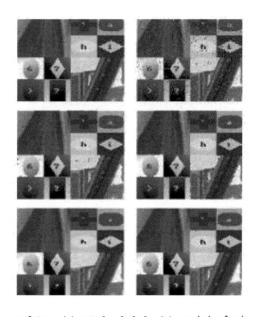

그림6.2: (a) 클린 이미지, (b) d#ÙÚBÛáÚ
임펄스 노이즈, (c) 다중 클래스 연료,
MASS=2, (d) MASS=3, (e) 중앙값, (f)
가중 중앙값

MASS를 3으로 설정하면 배경 소음(Background Noise)이 많이
줄어드는 좋은 점이 있지만, 그 결과로 몇몇 글자를 못 읽게 되는
문제가 생깁니다. 중앙값 필터(Median Filter) 두 가지 모두 비슷
한 효과를 보였지만, 가중 중앙값(Weighted Median) 필터는 글자
의 모양을 더 잘 보존하는 데 도움이 되었습니다. 표 6.1은 그림

6.2와 6.3에 나온 필터가 처리한 결과의 평균제곱근오차(RMSE: Root Mean Square Error)를 계산한 것을 보여주는데, 여기서 MASS를 2로 설정하고 가중 중앙값 필터를 쓰면 가장 좋은 결과를 얻을 수 있다는 걸 알 수 있습니다. 이 결과는 관찰자가 직접 눈으로 본 것과 일치해요. 다시 말하지만, RMSE를 기준으로 볼 때 가중 중앙값이 가장 좋은 성능을 냅니다. 하지만 MASS가 2일 때는 전체적인 오류 중 10%만 잡아내고, 그것도 오직 아주 작은 단일 픽셀(Pixel) 노이즈만 제거할 수 있어서 최악입니다. MASS가 3일 때와 중앙값 필터는 성능이 비슷하게 나왔고, 이 역시 처음에 눈으로 평가했을 때의 결론과 크게 다르지 않습니다.

무작위 노이즈(Impulsive Noise)를 없애는 한 방법으로는 멀티 클래스 FUELS 알고리즘을 조절하는 것이 있습니다. 이는 알고리즘의 성능을 높이기 위해서 필요한 조정인데, 이 알고리즘은 허용되는 최소한의 픽셀 크기인 최소 허용 세그먼트 크기(MASS)보다 작은 픽셀 그룹을 노이즈로 간주하고 제거하는 방식으로 동작합니다. 결함이 있는 픽셀에 대해서는 그 픽셀의 원래 값 대신에 주변에서 가장 크고 노이즈가 없는 평균값을 사용해 교정합니다. 만약, 노이즈로 판단되지 않은 픽셀 그룹에 대해서는 이와 함께 추가적인 노이즈도 함께 제거합니다.

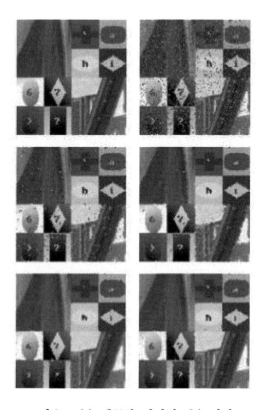

그림6.3: (a) 깨끗한 이미지, (b) 임펄스 노이즈가d인 경우, (c) 다중 클래스 연료, MASS=2, (d) MASS=3, (e) 중앙값, (f) 가중 중앙값.

여러분들이 정확하게 모델을 사용했다면, 대부분 MASS가 2로 설정된 알고리즘은 5%의 손상에도 뛰어난 성능을 보입니다. 이 알고리즘은 중앙값(Median) 버전보다 구조를 더 잘 보존하지만, 가끔씩 비슷한 강도를 가진 손상된 픽셀 쌍을 처리하지 못하는 경우도 있었습니다. 이는 구조를 더 많이 유지하려는 경향이 중앙값 변형보다 강했기 때문입니다. 생성되는 임펄스 노이즈가 늘어나는 것에 대처하기 위해서는 MASS 설정을 높게 조정해야 했습니다. 더 높은 MASS 설정은 노이즈가 좀 더 남지만, 동시에 노이즈를 제거한 부분에서 구조를 더 많이 보존하려는 경향이 있습니다. 이로 인해 데이터 분석이 좀 더 수월해질 것으로 기대됩니다.

적합한 MASS 설정을 결정할 때는 현재 경험하고 있는 임펄스 노이즈의 양을 고려해야 합니다. 알고리즘이 처리 중인 이미지에 가장 적합한 MASS 값을 자동으로 결정할 수 있다면 이상적일 것입니다. 이를 위한 한 가지 방법은 이미 알려진 MASS 값을 적용한 필터를 사용한 후 큰 변화를 겪는 픽셀의 수를 세는 것입니다. 이런 방법으로 노이즈 손상 비율을 추정하고, 이를 바탕으로 적절한 MASS 값을 계산할 수 있습니다.

6.2.2 곱셈 노이즈

2.5절에서 우리는 곱셈 노이즈(Multiplicative Noise)에 대해 처음 언급했습니다. 이 노이즈는 가산 노이즈(Additive Noise)로 분류될 수 있으며, 여기서 노이즈 레벨은 추가된 픽셀의 밝기에 비례합니다. 그러나 이것이 실제로 그렇다면 크게 도움이 되지 않을 것입니다. 방정식 6.2에서는 이러한 상황을 설명하는데, 여기서 'Üw)p/'는 특정되지 않은 어떤 분포에서 뽑힌 임의의 숫자를 나타냅니다. 이 분포는 구체적으로 정의되지 않았습니다.

$$f'(x,y) = f(x,y) + n(x,y)f(x,y)$$

(6.2)

결과적으로, 곱셈 노이즈가 존재하는 경우 원래 픽셀 값에 따라 분산이 결정되므로, 이 노이즈 유형을 가산 노이즈로 간주할 수 있습니다. 로컬 분할 알고리즘은 특정 응용 프로그램에 따라 다양한 방식으로 이러한 특성을 활용할 수 있습니다. 화질이 저하된 사진의 작은 부분에서, 픽셀 값의 변화가 일관적이라고 판단되면, 숫자로 표시된 블록의 평균을 원래의 강도에 대한 합리적인 추정치로 사용할 수 있습니다. 그러나 FUELS 모델은 곱셈 노이즈 모델을 채택할 경우 특정 가정에 의존하며, 이 가정이 틀릴 경우 모델은 예상대로 작동하지 않을 수 있습니다. 선택 기준의 수정된 버전이 클러스터별 분산을 사용하여 모델이 적절한지 결정하는데, 이는 공통 잡음 분산 대신에 수행됩니다. 로컬 분산을 결정하기 위해 단순히 블록의 평균 밝기를 사용하는 것이 더 단순한 접근법입니다만, 이는 반드시 최선의 방법은 아닙니다.

밝은 부분이 더 많이 포함된 픽셀은 어두운 부분이 더 많이 포함된 픽셀보다 신뢰도가 떨어지므로 평균이 반드시 가장 정확한 추정치라고 할 수는 없습니다. FUELS가 사용하는 이진 클러스터링 방법은 각 클러스터의 분산이 동일해야 제대로 작동한다는 전제에 의존합니다. 증분성 노이즈를 효과적으로 처리하기 위해서는 훨씬 더 복잡한 클러스터링 접근 방식을 구현해야 합니다. 그럼에도 불구하고, 연구에 따르면 몇 가지 약간의 조정을 통해 로컬 세분화를 사용하면 가산 노이즈와 관련된 문제보다 더 광범위한 문제를 해결할 수 있다는 것이 입증되었습니다.

6.2.3 공간적으로 변화하는 노이즈

단일 이미지 내에서도 노이즈가 다른 위치로 이동할 수 있는 가능성은 항상 존재합니다. 이미지에서 공간적으로 차지하는 위치에 따라 달라지는 분산이 있는 부가적 제로 평균 노이즈의 구성 요소를 상상해 보십시오. 이 분산은 변동될 것입니다. 이는 방정식6.3에서 볼 수 있으며, 여기서 "&" 기호는 픽셀의 위치에 따라 출력이 결정되는 함수를 나타냅니다.

$$f'(x,y) = f(x,y) + N(0, \sigma(x,y)^2)$$

(6.3)

이 방법론에 따르면 한 위치에서 다음 위치로 이동할 때 예측할 수 없는 변동이 발생할 수 있습니다. 각각의 픽셀 값에 대해 허용 가능한 값을 찾는 것은 어려운 작업이 될 수 있습니다. 이미지 전체에 걸쳐 분산이 부드럽게 변동하는 상황이 더 신뢰할 수 있는 상황입니다. 혹은 전체 세그먼트 내에서 분산이 일정하지만 세그먼트 간에는 불연속적일 수도 있습니다. 이러한 경우 로컬 규모의 분산은 대부분 일정하게 유지됩니다. FUELS와 MML (Minimum Message Length) 방법을 사용하면 각 픽셀을 중심으로 아주 작은 하위 이미지의 분산을 추정할 수 있습니다. 평활성이 있다고 가정하면 전체 픽셀 모집단의 일부에 대해 일관되고 정확하게 분산을 측정할 수 있습니다. 예측된 값을 기반으로 보간(interpolation)을 통해 이미지 나머지 부분의 변동을 계산할 수 있습니다.

공간적으로 변동하는 노이즈가 있는 이미지의 경우, 이미지를 수정하지 않고서는 Q-평균 세그먼트 기법을 사용할 수 없습니다. 이는 공간 정보를 고려하지 않기 때문입니다. 따라서 세그먼트 평균을 추정하기 위해 픽셀 값을 단순히 동일하게 평균화하는 것은 적절하지 않습니다. 노이즈가 있는 픽셀 값은 여전히 실제 값에 가장 근접한 추정치일 수 있기 때문입니다. 각 픽셀 값의 노이즈 분산을 기반으로 한 가중 평균은 단순 평균 대신 사용되어야 하는 방법입니다. 또한 모델 선택 기준을 변경하여 각 픽셀 및 각 세그먼트에 존재하는 다양한 변이 정도를 고려할 수 있어야 합니다. 이는 모델 선택 프로세스를 성공적으로 수행하기 위해 필요합니다.

6.3 다양한 구조 모델

이미지 모델링은 두 가지 주요 구성 요소인 구조 모델과 노이즈 모델로 이루어져 있습니다. 구조 모델은 노이즈가 없는 기본 신호를 설명하며, 노이즈 모델은 신호가 어떻게 왜곡되는지를 설명합니다. 로컬 세분화 프로세스에서 여러 가지 노이즈 모델을 사용하는 것이 과거에 입증된 바 있습니다. 다음 절에서 우리는 구조적 구성 요소를 확장하는 것에 대해 심도 있게 설명할 것입니다.

6.3.1 다중 스펙트럼 픽셀

이 책에 보고된 연구는 그레이스케일(grayscale) 데이터를 기반으로 하지만, 로컬 세그멘테이션은 이러한 특정 데이터 형식에 국한되지 않습니다. 실제로, 로컬 세그멘테이션의 적용은 데이터 형식에 제한되지 않습니다. 픽셀이 처음 생성된 색 공간과 다를 때는 스칼라(scalar)가 아닌 벡터(vector)로 해석될 수 있으며, 이로 인해 다중 스펙트럼 분석이 가능합니다. 이러한 분석을 통해 우리는 색상이나 다른 스펙트럼 구성 요소들 사이의 관계를 탐색할 수 있습니다. 예를 들어, 이 연구의 방법을 사용하여 다중 스펙트럼 이미지에서 각 픽셀의 스펙트럼 분포를 분석하는 것이 가능합니다.

이는 심지어 처음에 존재했던 조건(condition)에 더 민감하다는 사실에도 불구하고 스펙트럼의 효과성을 지지합니다. 두 색상(color) 사이에 존재하는 근본적인 강도(intensity) 차이가 아닌 RGB 공간(space)에서의 거리(distance)를 기반으로 하는 방식으로 평균 분리 기준(threshold)을 조정하는 것이 가장 관련성이 높고 가장 중요하게 고려해야 하는 방식으로 수행되어야 합니다. 이 조정(adjustment)은 구상한 결과(designed outcome)를 얻기 위해 필수적(essential)입니다. 평균 분리 임계값(threshold)에 대한 이러한 수정(modification)은 반드시 필요합니다. 프로젝트(project)의 궁극적인 결과(ultimate result)로 구상한 원하는 결과(outcome)를 실현하기 위해서는 어떤 종류의 활동(activity)에 참여해야 할 것입니다. 만약 여러분들이 MML 프레임워크(framework)를 사용한다면 각 세그먼트(segment)의 평균(mean)과 잔차(residual)가 각각 벡터(vector)로 표현될 것입니다. 이는 MML 프레임워크가 활용되는 경우에 발생합니다.

여러분들은 이러한 결과를 통해서 벡터의 각 색상 구성 요소(color component)를 세 개의 서로 다른 스칼라(scalar)로 구성된 것으로 생각할 수 있습니다. 단일 스펙트럼(spectrum) 데이터 분석에 사용되는 것과 개념적으로 유사한 방법을 사용하여 다중 스펙트럼(multi-spectrum) 데이터를 분석하는 것도 가능합니다. 다중 스펙트럼 데이터는 여러 개의 별개의 스펙트럼 대역으로 구성될 수 있습니다.

6.3.2 평면 영역

지금까지 사용된 구조 모델(structural model)은 세그먼트(segment)가 같은 크기의 조각으로 일정하다고 생각했습니다. '패싯(facet) 모델 계층 구조'는 4.2.1절에서 더 자세히 설명되었는데, 여기서 시작점은 조각마다 같은 값을 갖는 세그먼트입니다. 이런 세그먼트들은 가장 기본적인 단계를 나타냅니다. 작은 범위에서는 같은 값을 유지하는 패싯을 쓰면 대부분의 이미지에서 일어나는 변화를 흉내 낼 수 있을 것이라고 추측되었습니다. 'FUELS'와 'MML'

이라는 알고리즘(algorithm)은 간단한 모델만으로도 좋은 결과를 얻을 수 있다는 것을 보여주었어요. 그러나 모든 사진을 같은 값의 패싯으로 완벽히 나타내는 건 불가능하죠. 4.2절에서는 사진 속의 범위가 선(linear)이나 면(plane)으로 변화하는 세그먼트로 구성된 다고 말했습니다. 'Lena'와 'Barb2'라는 사진들에도 면처럼 작동하는 부분이 포함되어 있어요. 그래서 면 세그먼트를 '로컬 세그멘테이션 프레임워크(local segmentation framework)'에 넣는 게 도움이 됩니다.

여기에는 '#' 기호로 표시된 하나의 매개변수(parameter)가 있는데, 이것은 일정한 세그먼트의 평균 밝기(intensity)를 의미하는 데 쓰입니다. 면 세그먼트에는 세 가지 매개변수가 필요합니다. 면 세그먼트의 밝기 분포는 '방정식 6.4'로 설명할 수 있으며, 여기서 '#'는 평균 밝기, 'β'와 'γ'는 수평(horizontal)과 수직(vertical) 방향의 밝기 변화(gradient term)를 나타냅니다.

$$f(x,y) = \mu + x\Delta_z + y\Delta_y$$

(6.4)

노이즈(noise)가 각 픽셀(pixel)마다 'βx + γy + ε'로 퍼져 있다고 생각하면, '최소제곱합 기법(Least Squares Estimation)'이라는

잘 알려진 방법을 써서 세 가지 매개변수의 최적값을 구할 수 있습니다. 이 계산은 값을 '행렬(matrix)'에 넣어서 진행합니다. 이렇게 하면 각 매개변수에 대한 가장 좋은 값을 찾을 수 있습니다. 일반적인 '창(window)'처럼 정사각형 모양으로 픽셀들을 모으는 단순한 방법은 '그림 6.4'에 나와 있습니다. 실제로, 밝기 변화를 나타내는 항은 '프레윗 에지 디텍터(Freud edge detector)' 마스크의 결과와 같습니다. '그림 6.4'는 균일한 면 모델에 대한 매개변수 계산 방법을 보여줍니다.

$$\mu = \frac{1}{9}\sum_{i=1}^{i=9} Pi$$

$$\Delta_z = \frac{1}{3}[(p_3 - p_1) \mid (p_6 - p_4) + (p_9 - p_7)]$$

$$\Delta_y = \frac{1}{3}[(p_7 - p_1) + (p_8 - p_2) + (p_9 - p_3)]$$

p_1	p_2	p_1
p_4	p_5	p_6
p_7	p_8	p_9

그림6.4: 균일한 평면 모델에 대한
매개 변수 계산

우리는 동일한 속성을 가진 지역에 적용할 면 모델을 만드는 방법을 검토했습니다. 이 모델은 '균질 상수 모델(homogeneous constant model)'과 '2분할 상수 모델(bisection constant model)'과 함께 'MML 프레임워크(MML framework)'에 포함될 수 있습니다. 이 두 모델은 시간에 따라 y 값이 일정하다고 가정합니다. 적절한 면을 설명하기 위해 필요한 정보가 세 가지이기 때문에, 메시지의 모델 부분이 좀 더 길어질 수밖에 없습니다. 8비트(8-bit)와 16비트(16-bit) 샘플 모두에 대해 이상적인 '양자화(quantization)' 수준을 찾는 게 가능해야 합니다.

FUELS와 MML은 세그먼트를 나눌 수 있기 때문에 모델링 과정이 훨씬 더 복잡해졌습니다. 여러 부분으로 구성된 창에 면을 붙이는 것은 합리적이지 않을 수도 있습니다. 이제 우리는 균일한 면 모델을 사용해서 램프 가장자리를 매우 정확하게 시뮬레이션할 수 있습니다. 과거에는 두 개의 세그먼트를 사용해서만 이런 모습을 흉내 낼 수 있었습니다.

6.3.3 고차원 데이터

디지털 영상 처리에서의 '로컬 세분화(local segmentation)'라는 개념은 특정 구역을 작은 부분으로 나누어 각각을 분석하는 방법입니다. 이것은 기본적으로 주변 환경과 다른 고유한 패턴이나 특성을 가진 영역을 찾아내고 이를 통해 정보를 추출하거나 응용하는데 사용됩니다.

이 책에서는 2차원 이미지 처리에 대한 기초적인 설명을 넘어서, 의료 영상 분야에서 점점 더 중요해지고 있는 3차원 볼륨 이미지 처리까지 다루고 있습니다. 3D 이미지 처리는 2D 이미지에서의 픽셀(pixel) 대신에 복셀(voxel)이라는 개념을 사용합니다. 복셀은 3D 공간에서의 기본적인 데이터 단위로, 각 복셀은 자신의 위치와 함께 골밀도, 방사성 염료의 농도와 같은 스칼라 값을 가집니다.

'그림 6.5'에서 보여지는 것처럼, 3D 볼륨 이미지는 여러 2D 이미지 슬라이스를 통해 분석될 수 있으며, 이는 의료 영상 분석에 있어 흔히 사용되는 방법입니다. 그러나, 3D 영상을 슬라이스로 나누어 분석하는 과정에서는 시간적인 연속성이나 순서가 항상 정확하지 않을 수 있다는 문제점이 있습니다.

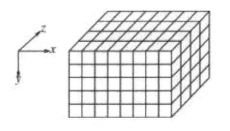

그림6.5: ÊLr*ú볼륨 이미지.

'로컬 세분화'는 공간적인 정보 뿐만 아니라 시간적인 정보를 포함하는 4차원 데이터 처리에도 적용될 수 있습니다. 여기서 시간적인 차원이 공간적 차원과 본질적으로 다를 수 있다는 점이 새로운 도전을 제시합니다. 그럼에도 불구하고, FUELS와 MML 같은 기법들은 이러한 복잡성을 다루는데 활용될 수 있습니다.

'그림 6.6'에서는 3D 공간에서의 '6연결성(6-connectivity)'을 통해 복셀들이 서로 어떻게 이웃 관계를 형성하는지를 설명합니다. 이는 복셀 기반의 영상에서 각 복셀이 바로 인접한 여섯 개의 복셀과 연결되어 있음을 나타냅니다.

최종적으로, 이러한 3D와 시간적인 차원을 포함한 4D 데이터 처리 방법은 영상 처리 분야뿐만 아니라, 디지털 비디오 처리, 객체 추적, 의료 영상 분석 등 다양한 응용 분야에서 중요한 기술로 자리 잡고 있습니다. 로컬 세그먼테이션 프로세스를 통해 각 복셀 주변의 세그먼트 변화를 식별하고, 이를 통해 움직이는 객체를 추적하는 등의 고급 기능을 수행할 수 있게 됩니다.

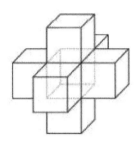

그림6.6: 각 복셀(점)은 바로
이웃에 6개의 이웃을 가지고
있습니다.

6.3.4 더 큰 창 크기

섹션 4.10에서는 다양한 크기의 창을 사용해서 FUELS(FUELS) 소프트웨어를 평가했고, 가장 큰 창은 37개의 픽셀(pixels)로 이루어져 있었습니다. 노이즈(잡음)를 줄이는 과정에서 창의 크기를 작게 할수록 RMSE(Root Mean Square Error, 평균 제곱근 오차)가 낮아져 더 좋은 결과를 얻을 수 있다는 사실을 발견했습니다. 하지만 더 복잡한 시각 모델(visual models)을 사용했다면, 이 주장은 정확하지 않을 수 있습니다. FUELS와 MML-2(Multilevel Model 2)는 정해진 기준에 따라 일정한 수의 후보 모델(candidate models)만을 검토했습니다. 그런데 창 크기가 커짐에 따라 마스크(mask)의 크기도 자동으로 더 커지게 됩니다.

MML-256(Multilevel Model 256) 방식은 모든 가능한 조합을 고려하는 방식으로 일을 처리합니다. 이 방법을 창에 적용하면 총 256개의 다른 세그먼트(segment)가 만들어집니다. 큰 창을 사용할 때, 이런 포괄적인 접근법은 확장성(scalability)이 떨어집니다. 창에 픽셀이 두 개 이상 있으면, 추가되는 픽셀마다 이진 세그먼트 매핑(binary segment mappings)의 수가 두 배로 늘어납니다. 창 크기가 커질수록, 기본 이미지를 구성하는 평균 세그먼트 수가 증가하는 것으로 예상할 수 있습니다. 그 결과 후보 세그먼트의 총 수도 늘어났습니다. 검색 범위가 어떤 식으로든 제한되어야 한다는 것은 분명합니다. 최적의 임계값(threshold) 모델뿐만 아니라 유사한 모델(homologous models)도 고려해야 합니다. 지역 정보 (local information)를 반영하는 세분화(segmentation) 방법을 사용하면, 빈자리를 채울 추가 후보들을 찾는 데 도움이 될 수 있습니다. 임계값을 설정한 세분화는 공간 알고리즘(spatial algorithms)의 초기 단계에서 기초로 삼을 수 있습니다.

공간 세분화(space segmentation)를 위한 대부분의 알고리즘은 하나 이상의 매개변수(parameters)를 필요로 합니다. 이 매개변수들은 하나의 값에서부터 여러 값들의 집합에 이르기까지 다양할 수 있습니다. 이 매개변수들을 가지고 여러 설정을 시도해볼 수 있으며, 만들어진 각각의 세분화를 결과 풀(pool)에 추가할 수 있습니다. 이 과정은 여러 번 반복할 수 있습니다. 검색 범위를 제한하면 문제를 부분적으로만 해결할 수 있습니다. 모든 세션 맵(section maps)에 비용(price)을 매기는 것이 필수적입니다. 이제 다양한 선택지가 있기 때문에, 모든 대안 세그먼트 맵에 대해 명시적인 사전 분포(prior distribution)를 적용하는 것은 더 이상 적절하지 않습니다.

대신 세그먼트 맵을 효율적으로 살펴볼 수 있는 새로운 방법을 고안해야 합니다. 가장 유망한 방법 중 하나는 각 후보 세그먼트 맵에 대한 평가 척도(scoring metric)를 개발하는 것입니다. 이 척도는 여러 가지 기준에 기초할 수 있으며, 그 중 일부는 특정 영역(domain)의 지식에 의존할 수도 있습니다. 예를 들어, 특정한 유형의 이미지에 대해 더 나은 예측을 제공하는 세그먼트 맵은 더 높은 점수를 받을 수 있습니다. 이런 방식으로 세그먼트 맵의 품질을 평가함으로써, 우리는 세그먼트 맵의 검색 과정을 최적화할 수 있습니다.

6.4 픽셀 분류

픽셀 분류(Pixel Classification)는 이미지의 각 개별 픽셀에 매끄러운, 윤곽이 있는 또는 질감이 있는 특징점을 할당하는 행위입니다. 이는 사진을 보다 정확하게 표현하기 위해 수행될 수 있습니다. 픽셀 분류에서 매끄러운 점은 자연스러운 변화가 적은 전역 세그먼트(Global Segment)의 내부에 위치한 점과 같이 균일한 영역에 속하는 점입니다. 매끄러운 점의 다른 예로는 전역 세그먼트의 중앙에 위치한 점이 있습니다. 글로벌 세그먼트의 교차점 및 한계에 가까운 곳에 위치할 수 있는 영역은 모양 영역이라고 합니다. 모양 영역은 에지 영역(Edge Area)이라고도 합니다.

세계 모든 문화권에서 받아들여지는 텍스처(Texture)에 대한 하나의 정의는 없습니다. Caelli와 Reye가 논문[에서 제시한 아이디어는 텍스처 영역과 가장자리 영역이 서로 다른 크기로 표시되는 것처럼 보이지만 동일한 특성을 가지고 있다는 것을 시사합니다. 이들은 텍스처는 서로 비교적 근접한 위치에 있는 여러 가장자리를 포함하기 때문에 고해상도 영역으로 간주해야 한다고 제안합니다. 로컬 세그멘테이션(Local Segmentation)을 수행하는 동안 각 픽셀 바로 옆에 있는 영역에 클래스를 지정하는 것이 필수적입니다. 로컬 세분화 기술은 문자 Q로 표시되는 세그먼트의 수를 알아냅니다.

픽셀을 분류할 때 Q가 유용하게 사용될 수 있습니다. 당분간 DNH를 무시하면 멀티클래스 FUELS 알고리즘은 계산 결과에 따라 1에서 9 사이의 Q를 찾습니다. 예를들면, Q를 1에서 9 사이에 위치시킵니다. Q가 존재하면 창은 "매끄러운" 인상을 줍니다. Q가 참이면 윈도우에는 세그먼트 제한이 있으므로 "모양"이라는 단어가 윈도우를 정의할 때 가장 적절합니다.

그림 6.7은 렌나와 렌나에 속한 분류 맵을 모두 보여줍니다. 이 두 가지 요소를 모두 직접 볼 수 있습니다. 매끄러운 점은 검은색 배경을 가진 픽셀로 표시되고, 모양이 있는 점은 흰색 배경을 가진 픽셀로 표시됩니다. 분류는 DNH를 고려하지 않는 다중 클래스 FUELS 알고리즘의 결과에 따라 결정됩니다. 노이즈 수준은 4BF로 추정되었습니다.

그림6.7: (a) 원본 렌즈, (b) 매끄러운(검은색) 특징점과 모양이 있는(흰색) 특징점으로 분류한 모습.

그림6.7b에서 픽셀의 59%는 매끄럽지만 41%의 픽셀은 어떤 유형의 구조를 가지고 있습니다. 따라서 매끄러운 점은 렌즈에서 발견되는 거대한 균질 섹션과 일치하는 반면, 곡선 점은 렌즈의 가장자리 및 거칠기와 관련이 있습니다. 이러한 특정 종류의 픽셀 분류는 다양한 설정에서 유용하게 사용될 수 있습니다. 예를 들어 이미지의 선명도를 유지하기 위해 손실 이미지 압축 방법에는 이미지의 모양이 있는 부분에 추가 비트를 할당하는 것이 포함될 수 있습니다. 전역 분할을 위한 알고리즘은 처음에는 매끄러운 점만 클러스터링하려고 시도한 다음, 그 속성에 따라 모양이 있는 점을 추가하기 위해 영역 확장을 사용할 수 있습니다. 이 두 단계는 알고리즘의 가능한 동작의 예입니다.

그림6.7에서 볼 수 있는 그림에서는 모양이 있는 피처 포인트와 텍스처가 있는 피처 포인트를 구분이 설정되어 있지 않습니다. "텍스처" 섹션은 하나 이상의 세그먼트로 완전히 표현되지 않는 창으로 생각할 수 있습니다. 작동 방식은 다음과 같습니다. 멀티 클래스 FUELS 알고리즘은 DNH 모드를 사용하여 이러한 종류의 창을 찾을 수 있습니다. 또한 섹션4.12.4에서 Q를 o와 동일하게 설정하여 DNH와 유사한 특성을 가진 창을 찾을 수 있음을 보여 주었으며 여기서 o는 창에 포함 된 픽셀 수입니다. 그 결과, 다음 기준에 따

라 픽셀을 분류하기 위해 로컬 세그먼테이션을 사용할 수 있습니다.

그림6.8: (a) 원본 렌나, (b) 매끄러운 점(흰색), (c) 모양이 있는 점(흰색), (d) 텍스처가 있는 점(흰색).

그림6.8은 이러한 분류 개념을 렌나의 분류에 어떻게 사용할 수 있는지 보여줍니다. 전체 픽셀 중 텍스처가 있는 픽셀의 비율은5%를 넘지 않습니다. 그 중3분의1 미만이 경사로와 같은 여백에 위치합니다. 복잡하기 때문에 조각 단위의 일정한 세그먼트를 사용하여 표현하려고 시도하는 것은 어려운 일입니다. 추가로1/3의 영역은 고립된 패치처럼 보이며, 세그먼트 기반 모델이 적합하지 않은 평면 영역일 수도 있습니다. 나머지 3분의 1은 사진의 질감이 있는 영역, 특히 레나의 모자에 있는 깃털에서 볼 수 있습니다. 이 발견은 이전에 매끄럽고 모양이 있는 점만 고려해서 얻은 발견만큼 고무적이지 않습니다. 이미지를 여러 축척으로 분석하면 결과적으로 픽셀 분류 프로세스가 향상될 수 있습니다.

에지 강도 평가는 동일한 이미지의 다운샘플링된 두 개의 사본과 더불어 원본 사진에 대해 여러 척도에 걸쳐 각 위치의 에지 강도를 연결하는 일련의 원칙을 사용하여 최종 결론에 도달합니다. 예를 들어, 모든 척도에서 에지 반응이 작다면 이는 문제가 되는 지점이 매끄럽다는 것을 매우 강력하게 보여줍니다. 반면에 에지 반응이 일관되게 크다면 문제의 포인트가 모양이 있다는 증거가 될 수 있습니다. 에지 강도가 눈금에 따라 크게 달라지면 문제의 포인트가 질감이 있는 것처럼 보일 수 있습니다.

6.5 엣지 감지

엣지 감지(Edge Detection)란 이미지 안에서 구분되는 부분(세그먼트)의 경계가 어디 있는지, 그리고 그 크기와 방향을 찾아내는 과정으로 설명됩니다. 엣지의 특징을 구별하는 정밀도와 정확도는 각각의 알고리즘이 얼마나 좋은지를 결정하는 중요한 부분입니다.

섹션 6.4에서 이야기한 '특정 형태를 가진' 픽셀 분류는 기본적인 엣지 감지 방법 중 하나입니다. 이 방법은 대략적인 위치는 알려줄 수 있지만 물체의 크기나 방향에 대해서는 알려주지 않습니다. 이어지는 섹션에서는 조금 더 복잡한 방법으로 엣지를 찾아내는 다양한 방법을 살펴볼 것입니다.

6.5.1 엣지 강도 측정

엣지 강도 측정 방법을 사용하면 이미지의 각 점을 중심으로 한 엣지의 변화 정도에 대해 추측할 수 있습니다. 이 방법은 엣지의 정확한 위치나 방향을 찾으려고 하지 않기 때문에, 그것에 대해서는 결론을 내릴 수 없습니다.

엣지 강도란 개념을 활용하는 방법도 있습니다. 일관된 특징을 가진 지역에서는 보통 반응을 보여야 하고, 구분되는 경계에서는 뚜렷한 반응을 보여야 합니다. 엣지가 선명할수록 그리고 대비가 높을수록 물체에 대한 반응이 더 좋아질 것으로 기대할 수 있습니다. 엣지 강도를 측정하는 알고리즘은 이미지를 구분하는 데도 사용될 수 있습니다. 예를 들어, 엣지 활동이 많은 지역의 픽셀은 그 지역을 만드는 알고리즘에 필요한 '시드(seed)'가 될 수 있습니다. 이 방법은 특정 지역을 확장하는 알고리즘에 적합합니다. '유역 분할 (Watershed Segmentation)' 기법에서 말하는 '고도 지도 (Elevation Map)'는 사실 엣지의 강도를 나타내는 지도가 될 수 있습니다.

또한 발견된 엣지 픽셀을 경계 추적 과정을 시작하는 데 사용할 수 있습니다. 이것은 권장되는 작업 방식입니다. 널리 알려진 소벨 필터(Sobel Filter)는 이미지를 함수의 표면처럼 다루며, 두 개의 서로 직각을 이루는 방향에서 기울기의 크기를 추정하려고 합니다. 방정식 6.5는 가로 방향의 마스크와 세로 방향의 마스크를 사용하여, 각 위치에서의 엣지 강도를 피타고라스의 정리를 사용해 계산한 결과를 보여줍니다.

$$S_x = \begin{bmatrix} 1 & 0 & -1 \\ 2 & 0 & -2 \\ 1 & 0 & -1 \end{bmatrix} \quad S_y = \begin{bmatrix} 1 & 2 & 1 \\ 0 & 0 & 0 \\ -1 & -2 & -1 \end{bmatrix}$$

$$e_{SOB(x,y)} = \sqrt{[f(x,y) * S_x]^2 + [f(x,y) * S_y]^2} \qquad (6.5)$$

로컬 세그먼테이션에서 엣지의 강도를 평가하는 것도 한 방법입니다. 섹션 4.14에서 설명한 FUELS 기법에서 사용하는 임계값(threshold)을 염두에 두는 것이 중요합니다. 분석에서 창(window)을 하나 또는 두 부분으로 나누는 것을 기반으로 할 때, 임계값을 조절하여 필요한 엣지 강도를 결정할 수 있습니다. 이는 이미지 내부의 물체를 찾거나, 이미지에서 물체를 분리하는데 유용합니다.

$$e_{LS}(x,y) = \max \{0, |\mu_1(x,y) - \mu_2(x,y)| - C\sigma\} \qquad (6.6)$$

그림6.9: (a) 원본 렌나, 추정(b) 로컬 세분화, (c) 소벨, (d) SUSAN을 사용한 경우

다음은 가장자리의 강도를 측정하는 데 사용할 수 있는 다양한 방법 중 하나의 예입니다. 중앙 픽셀과 강도가 가장 가깝지만 이미지의 반대쪽 세그먼트에서 발생하는 주변 픽셀 사이에서 발생하는 강도의 차이를 고려할 수도 있습니다. 이것은 또 다른 대안입니다.

이 책에서는 로컬 세그멘테이션 엣지 강도를 결정하는 매우 기본적인 방법에 대해 설명합니다. 이 방법의 전반적인 성능은 소벨과 SUSAN의 중간 정도라고 말할 수 있습니다. 소벨보다 더 많은 잠재적 정보를 저장하지만, SUSAN에 비해 배경 잡음에 덜 민감한 것으로 보입니다. 로컬 세분화의 출력에 씨닝과 엣지 링크를 적용하는 것은 흥미롭지만, 이 장의 범위를 벗어나므로 여기서는 더 자세히 다루지 않겠습니다. 하지만 그렇게 하는 것은 매우 흥미로울 것입니다.

이 결과는 공간 정보를 활용하지 않고 로컬 세분화 분해로 인해 사실상 무료로 획득할 수 있다는 점에서 유용합니다. 이는 조사 결과를 유리하게 만드는 이점입니다. 보다 복잡한 구현에서는 각 창에 대한 클러스터 할당의 실제 패턴을 고려한 다음 해당 패턴에 따라 엣지 방향을 선택할 수 있습니다. 이는 단순한 구현보다 개선된 것입니다.

6.5.2 확률적 엣지 감지

이 구절에서 설명하고 있는 것은 세그먼트 기반의 이미지 분석 방법론입니다. 이 방법은 이미지의 로컬 윈도우 내에서 이진 세그먼트(예: 객체와 배경) 매핑을 고려하여 각각의 윈도우에 대한 사후 확률 분포를 계산합니다. 이는 통계적 방법을 사용하여 특정 윈도 우 내에서 가능한 모든 이진 세그먼트 구성의 확률을 평가하는 것을 의미합니다.

세그먼트 모델은 모든 픽셀이 단일 세그먼트에 연결되어 있다는 가정을 기반으로 합니다. 즉, 세그먼트 내의 모든 픽셀은 서로 연결되어 있으며, 이 연결은 세그먼트의 경계를 형성합니다. 이때, 그림 6.10에 나타나는 픽셀 좌표는 이러한 세그먼트 경계를 식별하는 데 사용됩니다.

픽셀 인터페이스는 두 개의 인접한 픽셀을 연결하는 선으로 정의되며, 블록 내에 존재하는 모든 픽셀 인터페이스를 분석하여 경계의 존재 여부를 확인합니다. 만약 인접한 두 픽셀이 서로 다른 세그먼트 레이블을 가지면, 그 인터페이스에는 엣지 또는 경계가 존재한다고 할 수 있습니다. 즉, 한 픽셀이 객체일 수 있고, 다른 하나는 배경일 수 있는 것입니다.

처음에는 경계 패턴의 수가 많아 보일 수 있지만, 실제로는 많은 패턴이 세그먼트의 논리적인 요구 사항을 만족하지 못하기 때문에 배제됩니다. 즉, 가능한 모든 픽셀의 조합 중에서 실제로 의미 있는 세그먼트를 형성하는 경우는 제한적입니다.

이러한 방식으로 이미지 내의 구조를 분석하고 각각의 윈도우에서의 사후 확률을 사용하여 이미지를 세그먼트로 나눌 수 있습니다. 이는 객체 검출, 이미지 분류, 의료 이미징 분석 등 다양한 응용 분야에서 유용하게 사용됩니다.

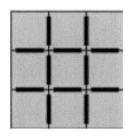

그림6.10: 굵은 글씨로
표시된 창에 대한
12개의 픽셀 간 경계선

그림6.11에서는 아래 세 가지 잠재적 세그먼트 맵의 각 예시를 볼 수 있습니다. 이 그림을 통해서 우리는 균질 세그먼트 맵을 참조하여 창은 어떤 종류의 경계도 포함하지 않는다는 것이 확인할 수 있

습니다. 수직 테두리가 있는 창은 가능한 12개의 인터페이스 중3개
의 인터페이스에 경계가 있다고 주장하지만, 이 주장은 증거에 의
해 뒷받침되지 않습니다. 세 번째 창에 표시된 대각선은 6개의 서
로 다른 인터페이스 각각에 경계가 존재해야 하므로 작업하기가 훨
씬 더 어렵습니다.

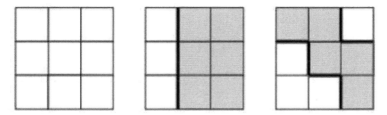

그림6.11: 세그먼트 맵의 예(경계가 굵은 글씨로 표시됨).

$$\text{Averaging} : e = \frac{1}{2}(h+v).$$

Euclidean magnitude, or normalized L_2 norm :

$$e = \sqrt{\frac{h^2 + v^2}{2}}.$$

The maximum, or L_∞ norm : $e = \max(h, v)$.

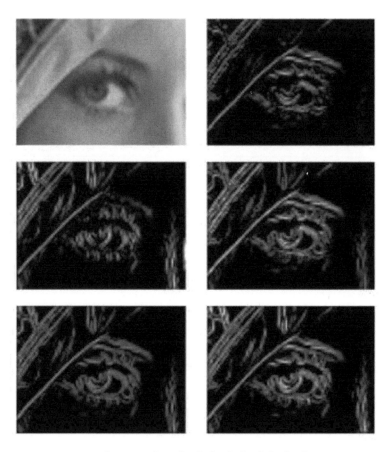

그림6.12: 확률적 픽셀 경계 검출의 예:

그림 6.12는 렌나(Lenna)라는 이미지의 일부에 대한 처리 결과를 보여줍니다. 여기서 검은색은 확률이 0이고, 흰색은 확률이 1임을 나타냅니다. MML-256(이미지 세그멘테이션 알고리즘)을 여섯 번 반복하여 세그먼트(segment) 지도에 대한 사전 지식(prior)을 학습하였습니다. DNH 모델(데이터 구동형 확률 모델)은 어떤 픽셀 인터페이스(pixel interface)에서도 추가적인 확률을 제공하지 않기 때문에, 균일한 창(window)으로 간주되었습니다. 픽셀 인터페이스는 다양한 형태가 될 수 있으며, 사용함으로써 상상 가능한 모든 것을 구현할 수 있습니다. 컴퓨터 그래픽에서 표준적으로 사용되는 모든 픽셀 인터페이스를 활성화된 것으로 간주하는 방식도 고려되었을 것입니다. 이는 최적의 방법을 결정하기 위해 이루어진 과정일 수 있습니다. 다른 기술들과 결합할 때 이 기술은 만족할 만한 성공을 이룰 수 있다고 생각됩니다. 세로로 촬영된 사진은 사진 상단에 있는 깃털을 잘 포착하고 있습니다.

이러한 결과는 문제의 깃털이 가로 방향의 그림에서는 나타나지 않기 때문에 얻을 수 있었습니다. 모자의 대각선 가장자리는 수평 및 수직 가장자리의 변형이 조합된 결과물로, 쉽게 식별할 수 있었습니다. 이 함수는 시각화 목적에 유리한 대비가 높은 결과 이미지를 생성합니다. 이 기법을 사용하면, 가장자리의 방향에 상관없이 가장자리에 경계가 있는지를 명확하게 볼 수 있으며, 이는 모든 방향의 가장자리에 적용됩니다. 수직 또는 수평 가장자리에 비해 대각선 가장자리는 두 가지 변수 t와 s가 결합된 방식으로 더 강한 반응을 보입니다.

대각선 가장자리는 복잡성 때문에 이런 반응을 보입니다. 렌나 이미지 전체에 대한 확률론적 가장자리 강도(edge strength) 그림은 그림 6.13에 제시되어 있습니다. 이 이미지는 (+s, t/) 기법을 사용하여 만들어졌습니다. 실험은 그림 6.12f에서 보이는 상황과 동일한 조건에서 수행되었습니다. 전반적으로, 중요한 경계를 구분하는데 큰 어려움이 없었습니다. 모자에 달린 보아의 개별 깃털은 세부사항에 상당한 주의를 기울여 처리되었고, 이는 모자의 디자인에 매력적인 특성으로 나타났습니다. 또한, 모자의 밴드 위의 복잡한 대각선 부분을 식별할 수 있었는데, 이는 시각적이고 청각적인 단서를 사용하여 이루어낸 것입니다. 이 선들은 처음부터 대각선으로 디자인되었습니다.

이 섹션에서 제공된 데이터를 통해 MML-256 로컬 세분화(local segmentation) 프레임워크의 성능을 확인할 수 있습니다. 로컬 세

분화 모델을 사용했을 때, 수평 및 수직 방향에서의 가장자리 강도가 약해진 것을 볼 수 있습니다. 이러한 직교 분해(orthogonal decomposition)는 적절한 과정을 통해 고유한 좌표 공간(coordinate space)으로 변환될 수 있는 가능성을 가집니다. 예를 들어, 극좌표(polar coordinates)를 사용하면 가장자리의 크기와 각 위치에서의 가장자리 방향을 정의할 수 있습니다. 그림 6.12e에서 볼 수 있듯이 실제로 크기는 그 자체로 표현되기보다는 보통 규범(norm)으로 표현됩니다. 방향 각도는 삼각 함수(trigonometric functions)를 사용하여 추가로 도출될 수 있습니다. 삼각 함수의 식은 $|\alpha = \arctan \dfrac{v(z,y)}{h(x,y)}$.로 표현할 수 있습니다.

6.6 이미지 확대

사진을 크게 하면, 사진의 해상도가 원래 사진보다 좋아집니다. 이 방법을 이미지 확대(image enlargement), 확대/축소(scaling), 보간(interpolation)이라고 부르며, 다른 이름들도 있습니다. 가장 기본적인 상황인 사진 크기를 두 배로 하는 것부터 알아보겠습니다. 크기가 두 배가 된 사진은 이전보다 픽셀(pixel)이 4배 많아졌습니다. 이 픽셀 중 대략 75%에 새로운 값들을 넣어줘야 합니다. 현재 사진의 모습은 그림 6.14에서 볼 수 있습니다. 원본 사진의 특성을 바꾸지 않으면서, 알려지지 않은 픽셀 값에 대해 정확한 예측을 하는 것은 어려운 일입니다. 이것은 정확한 색상 예측을 통해 이뤄질 수 있습니다.

그림6.13: w}xzV~qp를 사용하는 렌나의 확률론적 엣지 강도

이이 방법의 큰 단점은 픽셀을 단순히 복제(copying)하는 것과 관련이 있습니다. 그 다음으로 어려운 개념은 픽셀의 밝기(intensity)를 선형적으로 보간(interpolating)하는 것입니다. 이 방법을 쓰면

사진의 가장자리가 흐려질 수 있지만, 픽셀을 복제하는 것보다 더 자연스러운 결과를 얻을 수 있습니다. 이는 박스 필터(box filter)가 노이즈(noise)를 없애는 방식과 비슷하게 작동합니다.

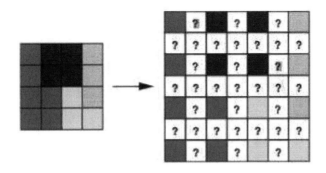

그림6.14: 이미지 크기를 두 배로 키운다는 것이 미지의 픽셀들을 모두 예측해야 한다는 것을 의미합니다.

구구조 지향(structure-oriented) 확대 알고리즘은 이미지에서 알려지지 않은 픽셀 값에 대한 추정치를 제공하려고 하면서도 엣지의 일관성을 유지하려고 합니다. 이미지 확대 과정을 돕기 위해 MML-256 로컬 세그멘테이션(segmentation) 기술을 사용할 수 있습니다. 그림 6.16a에 나온 확대된 사진에서 창을 자세히 보세요. 이 창은 9개의 알려진 픽셀로 이루어져 있고, 각각 번호가 매겨져 있습니다. 첫 번째 사진에서 사용된 가장 정확한 모델이 이진 세그먼트 맵(binary segment map)에 흰색 또는 회색으로 표시된 픽셀을 사용했다고 가정해 보겠습니다. 첫 번째 부분에는 총 4개의 픽셀이 있고, 두 번째 부분에는 5개가 있습니다.

이제 여러분들은 그림 6.16b에 나타난 하위 창을 살펴볼 수 있습니다. 총 7개의 픽셀이 있지만, 이 중 4개만 알려져 있고 나머지 3개는 알 수 없습니다. 첫 번째 세그먼트 맵에서 알려진 픽셀이 가진 세그먼트 멤버십이 이 맵이 유일하게 포함하는 세그먼트라는 것을 고려할 때, 이 픽셀들이 서로 관련이 있을 가능성이 큽니다. 이것은 이미지를 확대하는 데 있어서 픽셀 간의 관계를 보존하는 데 도움이 될 수 있습니다.

이러한 프로세스는 특히 사진의 세부적인 부분을 더 크게 만들고 싶을 때 중요합니다. 예를 들어, 사람의 얼굴이나 정교한 패턴이 있는 옷과 같이 미묘한 디테일이 중요한 경우에는, 픽셀의 단순한 복제보다는 더 고급진 보간 기법을 사용하여 세밀한 부분까지 잘 처리할 필요가 있습니다.

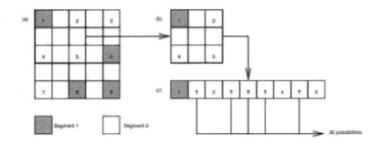

그림6.16: 구조 방향 보간에 로컬 세그먼테이션 사용.

이미지를 크게 만들면 표준적인 이미지 처리 기법인 중첩 평균 (overlapping averages)과 후방 블렌딩(back-projection blending)을 더 쉽게 적용할 수 있습니다. 이 두 기법은 이미지를 더 좋게 만드는데 도움이 되는 방법들입니다. 몽타주(montage)를 만들 때 사용할 수 있는 세 가지 다른 이미지 확대 기법들을 그림 6.17에서 비교해 볼 수 있습니다.

선형 보간(linear interpolation)으로 만든 결과물은 조금 흐릿하고, 픽셀을 그대로 복사해서 확대한 결과는 모자이크처럼 블록으로 나타납니다. 이것은 예상되는 결과입니다. 하지만 MML-256 테스트는 필요한 모든 조건을 만족시키는 결과를 만들어냈습니다. 만들어낸 도형과 글자들은 평범한 것들보다 더 부드럽고 연속적인 모

295

서리를 가지고 있어 보입니다. MML-256 방식으로 확대한 이미지는 같은 패턴을 두 가지 크기로 사용하기 때문에, 이를 프랙탈(fractal) 방식으로 볼 수 있습니다. 이렇게 하면 어떤 해상도를 사용하든 이미지가 일관된 모습을 유지하도록 해줍니다.

디지털 줌은 다양한 설정에서 사용할 수 있습니다. 현재 시판 중인 대부분의 디지털 카메라는 디지털 줌으로 전환하기 전 특정 배율까지만 광학 줌을 제공하며, 이 배율 이후에는 광학 줌을 전혀 사용할 수 없습니다. 인터레이스 프레임의 폭은 높이의 절반이고 전체 프레임의 크기를 생성하기 때문입니다.

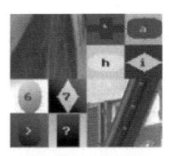
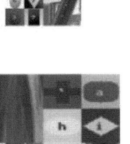
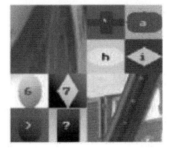

그림6.17: 스케일링 방법 비교: (a) 노이즈 제거 이미지, (b) 픽셀 복제, (c) 선형 보간, (d) MML-256 기반 스케일링.

6.7 이미지 압축

이미지를 저장하고 전송하기 위해 효율적인 방식으로 이미지를 압축하는 과정을 이미지 압축이라고 합니다. 그 중에서도 무손실 이미지 압축은 데이터를 올바르게 인코딩하여 디코딩된 후 처음에 얻은 이미지와 동일한 사진을 생성합니다. 무손실 이미지 압축을 사용하면 이미지를 저장하는 데 필요한 저장 공간을 줄일 수 있다는 장점이 있습니다. 무손실 이미지 압축은 원본 사진의 조잡한 스케치에 불과한 표현을 사용합니다. 이는 인코딩해야 하는 데이터의 양을 줄이기 위해 시용될 수 있으며, 이는 공간을 절약하는 데 도움이 됩니다.

손실 압축 방식은 재구성된 이미지에 도입되는 왜곡의 양과 궁극적으로 달성되는 압축의 양 사이에 균형을 맞춰야 합니다. 과거에는 이미지 처리와 이미지 압축 영역이 서로 별개의 영역으로 간주되어 두 분야가 서로 분리된 것으로 여겨졌습니다. 하지만 MML과 MDL과 같은 정보 이론적 접근법을 데이터 분석에 사용하면서 두 연구 영역이 하나로 결합될 수 있게 되었습니다.

MML과 이미지 압축은 모두 가능한 한 좋은 품질의 무손실 데이터 표현을 제공한다는 동일한 최종 목표를 향해 작동합니다. 두 부분으로 구성된 MML 메시지의 한 구성 요소인 데이터 구성 요소는 노이즈에 비유할 수 있고, 다른 구성 요소인 모델 부분은 구조에 비유할 수 있습니다. 이러한 MML은 인간의 시각 시스템에 기반한 모든 휴리스틱과 더불어 손실 압축 알고리즘에서 우선순위를 정할 이미지 정보를 선택할 때 유용하게 사용될 수 있습니다. 데이터 압축 품질은 표시되는 정보를 얼마나 잘 이해할 수 있는지와 직접적인 관련이 있습니다.

6.7.1 손실 압축 지원

손실 이미지 압축은 그림 6.18과 같이 두 단계의 과정으로 이루어
집니다. 이것은 프로세스를 이해하는 한 가지 방법입니다. 첫째, 원
본 이미지의 근사치에 해당하는 표현을 선택하여 압축의 시작점으
로 합니다. 둘째, 근사 이미지는 최종 결과물의 품질을 최대한 보존
하면서 인코딩됩니다. 손실 이미지 압축 알고리즘은 이 과정을 잘
수행하지만, 어떤 정보를 제거하고 어떤 정보를 유지할지 결정하는
방식과 근거는 항상 명확하지 않습니다.

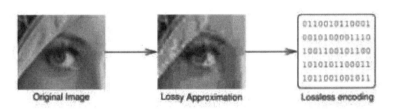

그림6.18: 손실 압축은2단계 프로세스로 간주할 수 있습니다.

컴퓨터가 이미지의 어느 부분이 구조적이고 어느 부분이 노이즈인
지 판단할 수 있는 기존의 기술 대신에, 손실 압축 방식으로 전송
하기 전에 이미지에 존재할 수 있는 노이즈를 제거하는 사전 처리
를 수행할 수 있습니다. 그런 다음 손실 알고리즘의 매개변수를 조
정하여 전송되는 정보의 양과 질을 최적화할 수 있습니다. 이 예시

에서는 시각적으로 중요하지 않은 정보를 제거하는 첫 번째 단계는 노이즈 제거 알고리즘으로 대체할 수 있고, 두 번째 단계인 인코딩은 압축 알고리즘에 맡길 수 있습니다.

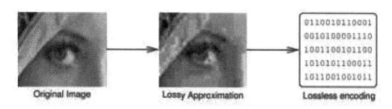

그림6.18: 손실 압축은2단계 프로세스로 간주할 수 있습니다.

여러분들은 전통적인 노이즈 제거 방식의 대안으로 손실 압축 방식으로 전송하기 전에 이미지에 존재할 수 있는 노이즈를 제거하는 사전 처리를 선택할 수 있습니다. 그런 다음 손실 알고리즘의 매개변수를 조정하여 전송되는 정보의 양과 질을 최적화할 수 있습니다. 이 예시에서는 시각적으로 중요하지 않은 정보를 제거하는 방법으로 첫 번째 단계는 노이즈 제거 알고리즘으로 대체하는 방법과 두 번째 단계인 인코딩을 설명합니다.

이 책에서는 4장과 5장에서 로컬 세그먼테이션을 사용하여 효과적인 노이즈 제거 접근법을 생성할 수 있음을 설명했습니다. 최상의 결과를 얻기 위해 여러분들은 FUELS의 노이즈 제거된 출력을 압축 도구의 입력으로 사용할 수 있습니다. 노이즈가 제거된 경우에는 결과적으로 압축 파일의 크기가 줄어들 수 있습니다.

또 다른 방법으로는 로컬 분할 방법을 사용하여 비트를 사용해야 하는 위치를 결정하는 방식이 있습니다. 예를 들어, QO 섹션에 포함되는 정보의 양이 적기 때문에 이러한 종류의 영역을 인코딩할 때 더 적은 수의 비트를 사용해야 합니다. 가장자리와 같은 중요한 구조적 구성 요소는 Qv 영역에 위치할 수 있으므로 손실 압축 이미지에서 이러한 특성이 정확하게 표현되도록 추가 비트를 사용해야 합니다.

6.7.2 적응형 BTC

특정 서클에서 BTC라고도 하는 블록 잘라내기 코딩은 사진을 줄이기 위한 쉽고 빠른 접근 방식입니다. 이 방식은 섹션3.3.2에서 더 자세히 설명했습니다. 원래의 BTC는 한 번에 단일 픽셀 블록에 대한 처리 작업을 수행하고 이전에 설정된 비트 전송률로 데이터를 제공했습니다. 최종 압축 비율은 4:1이며, 이는 픽셀당 8비트를 사용하는 그레이스케일 이미지 데이터의 경우 픽셀당 2비트에 해당합니다. 즉, 원래 값에서 데이터의 크기가 크게 감소하였습니다. 그림 6.19는 렌즈의 하위 이미지에서 작동하는 모습을 보여 주며 이 개념에 대한 모델 역할을 합니다.

그림6.19: 표준BTC: (a) 8bpp의 원본 이미지, (b) 2bpp의 재구성된 이미지, (c) 비트맵

지역 시장 세분화와 BTC는 서로 중요한 관계가 있습니다. 이러한 각 접근 방식을 사용하려면 먼저, 연결된 픽셀의 작은 세트를 분할하는 절차를 수행해야 합니다. 세분화에는 각 세그먼트의 일반적인 강도를 나타내는 비트맵과 다양한 세그먼트에 해당하는 픽셀 할당 등이 모두 포함됩니다. 원래의 BTC 방식은 일상적으로 두 개의 서로 다른 클래스를 사용했는데, 이는 FUELS 방식이 작동하는 방식과 매우 유사합니다. 반면 BTC는 블록 평균을 임계값으로 사용하며 블록 평균 자체보다는 세그먼트"평균"을 선택하는 방식입니다.

이러한 방식과는 대조적으로 FUELS는 계산 프로세스에서 가변적인 버전의 로이드 양자화기를 사용합니다. 블록이 동질적일 때는 하나의 평균만 있으면 되기 때문에 비트맵과 두 개의 수단을 전송할 필요가 없습니다. 디코딩할 수 있는 비트스트림을 생성하기 위해서는 먼저 각 블록의 인코딩에 동종 블록과 표준 블록을 구분하기 위해 1비트를 추가해야 합니다. 이렇게 해야 비트스트림이 생성될 수 있습니다. 또 다른 방법으로는 두 가지 수단을 먼저 전송하고 동일한 경우 비트맵 전송을 완전히 건너뛰는 방법이 있습니다.

Mitchell과 Nasiopoulos 등은 그들의 연구에서 어떤 영역의 블록 분산(block variance)이 1보다 작으면 그 영역이 균일하다고 볼 수 있다고 했습니다. 그리고 블록의 크기가 어떤 특정한 값을 넘지 않으면, 그 블록도 마찬가지로 균일하다고 가정했습니다. 이런 가정은 두 연구 그룹이 모두 동일하게 받아들였습니다. 'FUELS'는 이미 균일한 블록(homogeneous blocks)과 그렇지 않은 블록 (heterogeneous blocks)을 구별하는 데 도움이 될 수 있는 적당한 기준값(threshold)을 찾는 방법을 제공했습니다. 이 기준값은 블록이 균일한지 아닌지를 판단하는 데 사용할 수 있습니다.

그림 6.20은 적응형 블록 트랜스폼 코딩(adaptive BTC)이 기존 방식과 비교해서 거의 화질을 손상시키지 않으면서도 비트 전송률

(bitrate)을 높일 수 있음을 보여줍니다. 이는 일반 블록 트랜스폼 코딩(BTC)보다 큰 개선입니다. 기준값은 'F&' 값에 의해 정해지는 데, 이 값은 대략 2.84입니다. 그 결과로 41%의 블록이 균일하다고 분류되어, 전체 비트 전송률이 이전보다 1.39비트 당 픽셀(bits per pixel, bpp) 낮아졌습니다. 비트맵(bitmap) 이미지는 이미지의 활동이 많은 부분에서만 두 가지 유형의 세그먼트(segment)가 어떻게 사용되었는지를 분명하게 보여줍니다.

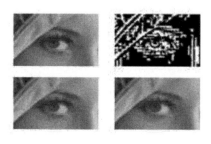

그림6.20: 적응형 BTC: (a) 원본
이미지, (b) 비트맵, (c) 기준값
8.5를 적용해 41%의 균일
블록으로 1.39bpp에서
재구성된 이미지,
(d) 2bpp에서 재구성된 이미지.

각 블록에는 블록 내 세그먼트 수를 정의하는 비트를 접두사(prefix)로 붙여 세그먼트에 대한 암시적인 사전 확률 분포(prior probability distribution)를 설정할 수 있습니다. 구체적으로, QAW에 0.5의 확률을 할당하고, 나머지 확률은 생각할 수 있는 모든 J 클러스터링(clustering)에 분배하는 것입니다. 섹션 5.14에서 본 것처럼, 이런 코딩 방법이 비효율적이라는 것은 명백합니다. 모든 이진 세그먼트 매핑(binary segment mapping)의 발생 확률이 같지는 않습니다. 먼저, 이 확률들은 이미지에서 MML(Maximum Marginal Likelihood) 기법을 사용해 계산할 수 있습니다. 그 다음에는 이미지의 나머지 부분이 이 확률을 이용해 인코딩되고, 인코딩이 시작될 때 전달될 수 있습니다. 초기 정보의 비용이 너무 높지 않다고 여겨지면, 비트 전송률은 순수하게 개선될 수 있습니다.

6.7.3 무손실 예측 코딩

대부분의 무손실 압축 알고리즘(lossless compression algorithms)은 주변 픽셀의 값을 예측하여 압축하는 방식으로 작동합니다. 이는 데이터 손실을 최소화하기 위해서입니다. CALIC, LOCO, HBB, TMW, Glicbawls 등의 알고리즘이 예로 들 수 있습니다. 예측은 과거에 인코딩된 픽셀들을 사용해서 만들어야 하며, 이를 '인과적 이웃'(causal neighbourhood)이라고 합니다. 그림 6.21에서 이를 볼 수 있습니다. 이는 디코더(decoder)가 미래의 픽셀에 대한 정보를 아직 갖고 있지 않기 때문입니다.

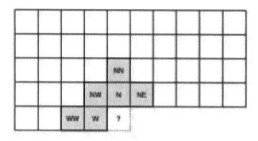

그림6.21: 인과적 로컬 이웃(causal local neighbourhood)은 인코더(encoder)와 디코더 모두가 알고 있는 픽셀로 구성됩니다.

예측 기법은 대부분 주변 영역에 있는 픽셀에 전적으로 의존합니다. 그림 6.21은 나침반 방위 표기법(compass point notation)을 사용해서 설명되어 있습니다. 이 표기법에서는 N과 W가 각각 북쪽(north)과 서쪽(west)을 나타냅니다. 현재 디코딩 중인 픽셀을 '현재 픽셀'(current pixel)이라고 부르며, 이는 흔히 사용되는 용어입니다. 물음표는 해당 픽셀을 나타냅니다. 현재 픽셀의 예측값은 주변 픽셀 값의 선형 조합(linear combination)으로 계산하는 것이 일반적입니다. 이는 정확한 예측을 위해서입니다. 예를 들어, '피르쉬 예측자'(Peirce predictor)는 0.5W + 0.25N + 0.25NE로 계산됩니다. 이는 단지 하나의 예입니다.

로컬 세그멘테이션(local segmentation)을 사용하면 예상되는 값을 개선하는 데 도움이 될 수 있으며, 그렇게 되길 바라기 때문에 이 방법을 사용합니다. 예측된 픽셀 값에서 발견되는 잡음의 양은 예측에 사용된 각 픽셀에서의 잡음 수준을 선형적으로 조합한 후 그 결과값들을 합쳐서 결정할 수 있습니다. 이 잡음의 양은 예측된 픽셀 값에서 나타나는 잡음의 수준과 같습니다. 목표는 사람이 인지할 수 있는 한 최소한의 잡음을 만들어내어 성공적인 결과를 얻는 것입니다.

예측을 위해 원본 값이 아닌 잡음이 제거된 픽셀 값의 복사본을 사용하는 것도 가능합니다. 이것은 완전히 불가능한 생각은 아닙니다. 예를 들어, 사진을 디코딩하는 과정에서 이미지를 수정하기 위해 FUELS라는 필터를 적용할 수 있습니다. 중첩 추정(nested estimation) 방식은 양면 이웃(bilateral neighbourhood)이 없는 픽셀에 대해서도 수용 가능한 수준의 잡음을 제거한 값을 추정할 수 있게 합니다.

각 픽셀을 인코딩할 때, 가능한 픽셀 값들 사이의 분포 (distribution)를 고려해야 합니다. 이는 이미지가 정확하게 보이도록 하는 데 필요합니다. 이 분포들의 대칭성(symmetry)과 단일 모 달리티(single modality) 때문에 가우시안 분포(Gaussian distribution)와 라플라스 분포(Laplace distribution)가 자주 사용됩니다. 이 중 가장 일반적인 분포는 없습니다. '예측값 (predicted value)'은 분포의 위치 매개변수(location parameter) 추정치에 가능한 한 가까운 값으로, 가능한 한 정확한 값을 얻기 위해 사용됩니다. 이는 수학적 공식(mathematical formula)을 사용하여 이루어집니다. 특정 상황에서는 스프레드 매개변수(spread parameter)를 사용하여 예측값에 대한 신뢰성을 평가할 수 있습니다. 예측 공식(prediction formula) 외에도 허용 가능한 스프레드 값을 계산하기 위해 사용되는 방법은 대부분의 알고리즘들을 구별하는 특징입니다. 이는 알고리즘(algorithm)과 예측 공식(formula)에 모두 해당됩니다. 무손실 JPEG(lossless JPEG)와 같은 다른 방법들은 사진 전체에 대해 단일한 스프레드 매개변수만을 사용합니다. GLICBAWLS 같은 다른 방법들은 해당 지역 사람들과의 직접적인 상호작용을 통해 추정치를 얻습니다.

이것이 그들이 정보를 얻는 방식입니다. CALIC과 LOCO는 컨텍스트 코딩(context coding)이라는 개념을 사용하며, 이때 즉각적인 인과적 관계(causal relationship)를 식별해야 합니다. 이 개념은 두 시스템에서 모두 사용됩니다. 각 전략은 이러한 작업을 수행합니다. 사용된 컨텍스트는 소수이지만, 각각은 현재 활성화된 픽셀을 인코딩하는 데 활용될 수 있는 정확한 잡음 추정치를 제공합니다. FUELS 방식은 컨텍스트를 구성하는 과정에서 이용될 수 있는 하나의 전략입니다. 다른 가능한 접근 방식으로, 디코더가 전체적인 잡음 분산(global noise variance)에 대한 추정치를 가지고 있다고 가정해 봅시다. 그리고 이 추정치가 전달되었다고 가정해 봅시다.

앞서 말씀드린 예측값이 맞는지 확인해보기 위해 가정을 해보겠습니다. 원인이 되는 사건들이 지역적으로 나뉘어져 여러 작은 구역들로 구성되어 있을 수 있습니다. 여기서 사용되는 세그먼트 맵(segment map)은 가장 좋은 대안으로 여겨지며, 이를 통해 우리는 문맥 번호(context number)를 얻을 수 있습니다. 이웃하는 구역들이 참여하는 수는 총 문맥 수를 정하는 데 사용될 수 있는 가능성을 제어하는 방법으로 활용되었습니다. 이는 전체 문맥 수를 결정하기 위해 사용되었습니다. 지역적으로 나뉜 구역이 성공적인지를 평가하기 위해 이러한 단계를 진행했습니다. 비슷한 특성을 가진 주변 구역과 다른 특성을 가진 구역을 구분하는 로컬 세분화(local segmentation)의 기능은 가장 중요한 특징 중 하나입니다.

스프레드 매개변수(spread parameter)를 배우는 방법은 개별 상황에 맞게 설정할 수 있는 CALIC와 LOCO의 학습 방식과 비슷합니다. 예측과 문맥 선택에 로컬 세분화를 사용하는 기술은 더 다양한 상황에 적용할 수 있는 가능성을 가지고 있습니다. 문제가 되는 영역을 현실적으로 가장 효율적이고 유용하게 나눌 수 있습니다. 만약 Q가 예상보다 낮게 나온다면, 원래 있어야 할 가치는 현재 위치에 있거나 완전히 다른 곳으로 이동했을 것입니다.

예상된 값은 인과 관계(causal relationship)를 가진 이웃의 평균값과 일치할 가능성이 높습니다. 이는 매우 가능성이 높은 결과입니다. QO가 올바른 것으로 확인되면, 현재 선택 중인 픽셀(pixel)은 새로운 세그먼트(segment)에서 얻었거나 인과 관계가 있는 세그먼트 중 하나에서 얻었을 것입니다. 인코더(encoder)는 현재 시야에 있는 픽셀을 분석하고, 이 분석을 기반으로 어떤 세그먼트에 속하는지를 식별할 수 있습니다. 단 하나의 이진 사건(binary event)을 사용하여 어느 세그먼트가 참조되는지 정확히 알 수 있습니다.

세그먼트의 평균값을 예측값의 기준으로 사용할 수 있으며, 이는 가능한 범위 내에서 이루어집니다. 이런 유형의 예측은 이미지의 가장자리(edge) 근처에 있는 변화가 큰 부분을 예측하는 데 유용합니다. MML-256 방법(method)을 기초로 한, 더 포괄적인 다른 버전의 개념을 사용하는 것도 하나의 가능한 대안입니다. 인코더와 디코더(decoder)가 세그먼트 매핑의 우선순위에 대해 서로 동의하고 조건에 도달했다고 가정해 보겠습니다.

인과 관계가 있는 이웃은 위에서 언급한 방법 중 하나를 사용하여 세그먼트화할 수 있지만, 우리가 주목하는 특정 픽셀은 예외입니다. 각 세그먼트 맵에서 두 개의 새로운 세그먼트를 만들 수 있으며, 이들 세그먼트는 추가 픽셀을 포함합니다. 이는 실제로 가능합니다. 이 방법을 통해 새로운 세그먼테이션을 설계할 수 있습니다. 이를 위해 현재 픽셀이 두 잠재적인 세그먼트에 동시에 위치한다는 가정(QL # 사용)을 해야 합니다. 그 전 단계는 데이터의 다른 세그먼트에 각기 다른 중요도를 부여하는 데 사용되었을 가능성이 있습니다. 각 세그먼트에 연결된 확률을 고려한 후, 예상 값을 결합하는 것이 가능했습니다. 이는 TMW가 예측 결과의 분포를 합칠 때 사용하는 전략과 비슷합니다.

노이즈 제거(noise reduction)뿐만 아니라 다양한 추가 이미지 처리 작업에도 로컬 세분화를 사용할 수 있습니다. 이러한 작업에는 가장자리 감지(edge detection), 사진의 확대/축소(scaling), 이미지 압축(compression) 등이 포함됩니다. 또 다른 논의된 주제는 로컬 세분화 프레임워크(local segmentation framework), 특히 이미지 모델(image model)과 노이즈 모델(noise model)을 포함할 수 있는 여러 방법들에 관한 것이었습니다.

4장과 5장에서 언급된 상수 패싯(constant facet)과 부가적 노이즈 모델(additional noise model) 그리고 MML(minimum mean-square error logarithmic) 노이즈 제거 기법은 이러한 모델들이 어떻게 작동하는지 이해하는 기초가 되었습니다. 그리고 이 MML 노이즈 제거 방법은 FUELS(Fast Universal Entropy-constrained Lossless Segmentation)에서도 사용되었습니다. 책에서는 2차원(2D)의 사진을 시작으로, 2차원의 비디오 시퀀스, 3차원(3D)의 볼륨 이미지, 그리고 4차원(4D)의 볼륨 이미지 시퀀스로 이 개념을 확장하는 것도 고려했습니다. 이러한 확장은 책이 주로 2차원 이미지에 초점을 맞추고 있다는 점을 기억하면서 논의되었습니다.

비록 이 책이 주로 2차원 그림에 관한 것이지만, 추가로 다룰 수 있는 내용으로 이러한 확장을 고려한 것입니다. 로컬 세그멘테이션 (local segmentation)이라는 개념은 그다지 복잡하지 않습니다. 각각의 픽셀(pixel)에 주소가 지정되고, 같은 세그먼트(segment)에 있는 바로 옆의 픽셀들만이 처리 과정에 참여한다는 것을 의미합니다. 이는 각 픽셀이 같은 세그먼트의 일부이기 때문에 같은 영역에 있을 때만 같은 처리를 해야 한다는 것을 나타냅니다.

이 장에서 우리는 이런 개념을 저수준(low-level) 형식의 이미지에 어떻게 일관되게 적용할 수 있는지, 그리고 그 예시를 살펴보았습니다. 픽셀 옆에 있는 픽셀의 값을 고려하여 픽셀을 분석하는 모든 방법은 로컬 세그멘테이션을 사용할 수 있습니다. 이 방법은 비용이 많이 들지 않아서 결과적으로 모든 알고리즘에 적용할 수 있습니다. 이 방법은 매우 간단해서 오늘날 전 세계적으로 널리 사용되는 장점과 적응성을 제공합니다. 이 장에서 소개된 대부분의 개념은 피상적인 수준에서만 다뤄졌는데, 그것을 완전히 조사하는 데 필요한 노력이 이 논문의 범위를 넘어서기 때문입니다.

확률론적(probabilistic) 엣지(edge) 감지와 임펄스 노이즈 (impulse noise) 제거에 초점을 맞춘 연구가 특히 유망해 보입니다. 이러한 개념과 그 의미에 대한 추가적인 조사가 필요합니다.

FUELS 로컬 분할 기법은 컴퓨터 자원(computer resources)과 저장 공간(storage space)을 거의 사용하지 않는 단순화된 구현을 제공합니다. 이 기법이 사용하는 논리적인 파티셔닝(logical partitioning)은 이러한 결과를 가능하게 합니다. 실시간 (real-time)으로 실행될 수 있으며, 잘 설계한다면 하드웨어 (hardware)에서도 구현할 수 있는 범용적인 이미지 처리 도구 (universal image processing tool)로 개발될 수 있습니다.

7장. 영역 및 경계 정보를 통합하는 이미지 분할

7.1 소개

이미지를 나누는 것은 컴퓨터가 그림을 분석하고 인식하는 데 있어서 매우 기본적이고 중요한 첫걸음입니다. 이 작업은 그림의 서로 다른 부분을 구별하기 쉬운 집단으로 나누기 위해 색깔, 밝기, 질감 같은 특성을 이용합니다. 그림을 이런 식으로 나누는 것이 이 작업의 목적입니다. 여러 가지 방법이 이를 위해 연구되고 개발되었으며, 이는 지금도 계속 중요한 연구 주제입니다. 다만 더 자세한 정보가 필요합니다.

그림의 한 부분이 주변과 얼마나 닮았는지 또는 다른지를 나타내는 유사성과 불연속성이라는 두 가지 주요 특성을 토대로 여러 가지 나누기 방법들이 개발되었습니다. 픽셀(화소)이 주변과 다를 때는 경계 기반 기법이, 비슷할 때는 영역 기반 기법이 사용됩니다. 그러나 이 두 전략은 종종 원하는 대로 그림을 제대로 나누지 못합니다. 이는 각 방법이 실패할 수 있는 상황이 다르기 때문입니다.

예를 들어, 그림에서 경계를 찾는 방법은 그림에 잡음이 섞여 있거나 조금씩 다른 지역 특성이 있을 때 오해를 일으킬 수 있는 불완전한 경계를 보여줄 수 있습니다. 이는 이런 기법이 지역마다 특성이 있다고 가정하기 때문입니다. 이 방법은 그림의 중요한 부분을 알아내기 위해 작은 범위의 정보에만 의존합니다.

또한 경계를 이어서 전체 그림을 이해하는 방법은 있지만, 이는 어려운 일로 알려져 있습니다. 영역 기반의 방법은 더 큰 범위를 보면서 그림의 일부를 하나로 묶어내는 방법을 사용합니다. 하지만 이 방법은 그림의 세부사항과 정보의 양을 줄일 수 있습니다.

이런 방법들은 그림의 지역적 특징을 정확히 파악할 수 있을 정도로 충분히 많은 정보를 수집하기 위해 사용됩니다. 그러나 이로 인해 작은 지역을 놓치거나, 실험을 어떻게 시작하고 끝낼지 결정하기 어려울 수 있습니다. 마지막으로, Salotti와 Gabet는 이러한 두 방법이 정해진 엄격한 기준이 없기 때문에 잘못된 결론을 내릴 수 있다고 지적했습니다.

복잡한 그림, 예를 들어 야외나 자연의 그림을 나눌 때는 햇빛, 그림자, 빛의 불균일함 또는 질감 같은 추가적인 어려움이 있어, 하나의 방법만 사용하면 만족스러운 결과를 얻기 어렵습니다. 이러한 그림에는 더 많은 도전 요소가 있을 수 있습니다.

이는 컴퓨터가 이러한 종류의 사진(이미지)을 처리할 때 추가적인 어려움을 극복해야 하기 때문입니다. 영역(region)과 가장자리 (edge)에 기반한 정보의 보완적인 성질을 이용하면, 각각의 기술에서 발생하는 문제점들을 최소화할 수 있습니다. 발전을 이루기 위해 가장 효율적인 방법은 실제로 다양한 전략들을 결합하는 것입니다. 하지만 두 가지 접근법이 서로 보완적인 정보를 제공하지만, 비교할 수 없을 만큼 상충되는 목표를 가지고 있다는 점이 문제입니다. 바로 이 점이 해결해야 할 근본적인 도전과제입니다. 통합 (integration)은 오랜 기간 동안 추구되어 온 목표지만, 앞서 파블리디스(Pavlidis)와 리우(Liu)가 지적했듯이, 이 목표를 달성하는 것은 결코 쉬운 일이 아닙니다. 이 목표는 정말 오랫동안 원했던 것입니다.

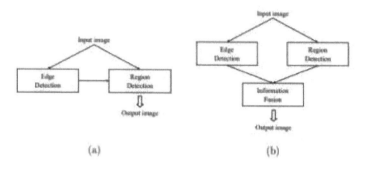

그림7.1: 통합 시점에 따른 지역 및 경계 통합 전략의 체계:
(a) 내장형 통합(embedded integration), (b) 후처리
통합(post-processing integration)

최근 몇 년 동안 지역과 경계(boundary)에 대한 정보를 함께 이용하는 매우 다양한 방법들이 개발되었습니다. 이러한 전략들을 '정보 통합 전략(information fusion strategies)'이라고 부릅니다. 이러한 방법들 중 가장 중요한 특징은 통합하는 시기인데, 두 작업이 모두 끝난 후에 통합을 진행하거나 지역을 식별하는 과정 중에 통합을 포함시킬 수 있습니다. 이 두 가지는 제안에서 중요한 요소 중 하나입니다.

'임베디드 통합(embedded integration)'은 새로운 매개변수나 세분화(segmentation)에 대한 새로운 의사 결정 기준을 개발함으로써 이루어지는 통합을 말합니다. 가장 일반적인 전략은 가장자리 정보를 수집하는 것부터 시작하여, 그 후 주로 지역 기반의 세분화 과정에서 이 데이터를 사용하는 것입니다. 이 방법은 많이 사용되는 전략입니다. 이 방법이 어떻게 진행되는지의 핵심 개요는 그림 7.1.a에서 확인할 수 있습니다. 가장자리 검출(edge detection)은 새로운 매개변수나 새로운 의사 결정 기준을 만드는 데 사용될 수 있는 추가 정보를 제공할 수 있으며, 이 정보는 양 경우에 모두 유용합니다.

가장자리 검출은 새로운 매개변수를 만드는 데 사용될 수 있는 정보를 제공하기도 합니다. 예를 들어, 지역 경계에 대한 정보는 새로운 지역을 형성하는 시드 사이트(seed sites)를 결정하는 데 사용될 수 있습니다. 이 과정은 여러 가지 방식으로 수행될 수 있습니다. 경계 정보를 활용하는 것은 이 통합 전략의 핵심 목표인데, 이는 보통 지역 기반 전략에서 발생하는 많은 문제를 피하는 데 필수적입니다. 한편, 다음 섹션에서 살펴볼 것처럼, 최근에는 통합 과정을 반대로 적용하여 경계 찾기 과정에서 지역 정보를 사용하는 추세도 있습니다.

다음 단락에서 이에 대해 더 자세히 설명하겠습니다. 간단히 설명하면, 먼저 가장자리를 기반으로 한 방법과 지역을 기반으로 한 방법을 사용해 이미지를 처리한 다음, 이미지에 대해 후처리 통합을 진행합니다. 첫 번째 단계는 다음 그림과 같이 이미지의 가장자리와 지역에 대한 정보를 따로 수집하는 것입니다.

단일 접근 방식(single approach)을 사용하여 처음 세분화를 얻은 경우, 후처리 퓨전(post-processing fusion) 과정을 거칩니다. 이 절차는 원래 세분화를 업데이트하거나 개선하기 위해 두 가지 정보를 이용하려고 합니다. 이 방법의 목적은 초기 연구의 결과를 향상시키고, 그 결과로 더 정확한 세분화를 생성하는 것입니다. 많은 연구가 이미지 세분화에 대해 이루어졌음에도 불구하고, 지역과 경계 정보를 함께 사용하는 연구는 별로 없었습니다. 이 장에서는 최근 몇 년 동안에 개발된 중요한 세분화 방법들을 살펴보겠습니다.

이것이 7장의 목적입니다. 앞서 '임베디드(embedded)' 또는 '후처리(post-processing)'로 분류했던 여러 중요한 접근 방식들을 설명합니다. 임베디드 접근 방식에서는 가장자리 정보를 시드 배치(seed placement) 목적으로 사용하는 기술과 이 정보를 사용해 허용 가능한 선택 기준을 만드는 기술을 구분하여, 전자에서 가장자리 정보를 사용하는 기술에 주목합니다. 왼쪽은 시드를 심을 때 가장자리 정보를 활용하는 방법들입니다.

후처리 절차 분야에서는 오버세그멘테이션, 경계 세분화, 선택 평가의 세 가지 기법을 구분합니다. 또한 특정 상황(영역 확대 또는 분할 및 병합)에서의 방법 구현과 관련된 특정 측면과 여러 다른 제안에서 고려된 퍼지 논리의 활용에 중점을 둡니다. 이러한 각 방법은 매우 상세하게 분류되어 있으며, 특정 상황에서의 방법 구현과 관련된 특정 측면에 중점을 두고 있습니다.

7.1.1 관련 작업

'세분화(segmentation)'라는 주제로 쓰인 일부 연구 자료에서, 이미지의 지역(region)과 경계(boundary) 정보를 어떻게 함께 사용할지에 대해 언급하는 글은 많지 않습니다. 예를 들어, Pavlidis와 Liow라는 연구자들은 이런 정보를 어떻게 결합할지에 대해 강조한 여러 초기 연구들을 소개하며, 그런 연구들의 예를 들어 보여줍니다. Pal와 그의 동료들은 1994년에 이루어진 연구에서, 이중 정보를 결합하는 두 가지 주요한 방법을 발견했습니다. 이 방법들을 '지리적 영역 및 경계 조건(geographic region and boundary conditions)'이라고 부릅니다. 첫 번째 방법은 '후처리(post-processing)'라고 하며, 이미지의 지역을 나누는 과정에 경계 정보를 이용하는 것입니다. 두 번째 방법은 '임베디드(embedded) 접근 방식'으로, 이미지의 경계를 찾는 일(edge detection)과 지역을 추출하는 일(region extraction)을 한 과정에 넣어 처리하는 것을 말합니다.

Pal, Bolon, Coquerez가 제안한 이 분류법을 이 글에서는 고려하고 사용합니다. Lemoine과 Tilton은 자료를 함께 섞는 '데이터 융합(data fusion)' 전체 과정을 연구하면서, 융합에는 '픽셀 수준(pixel-level)'과 '심볼 수준(symbol-level)'이라는 두 가지 차원이 있다는 것을 발견했습니다. '픽셀 수준에서의 통합'은 각각의 픽셀에 대해 독립적으로 결정을 내리는 것을 기본으로 하고, '심볼 수준에서의 통합'은 선택한 특징(feature)을 기반으로 통합을 진행하는 것으로, 이는 문제를 단순하게 만들어 줍니다.

그 외에도 '임베디드 처리(embedded processing)'와 '후처리(post-processing)'라 불리는 두 가지 처리 방식을 비교하며, '후처리 방식'을 선호하는 여러 가지 설득력 있는 이유를 제시합니다. 후처리 융합 방식이 초기 단계에서 다양한 경계 및 영역 나누기 방법을 적용할 수 있기 때문에 더 다양한 전략을 사용할 수 있다는 점을 강조합니다. 이는 다양한 선택지를 제공하는 매력적인 옵션입니다.

세분화에서 가장자리와 지역 정보를 결합하는 것은 '동적 윤곽 (snake)'이라는 대체 기법을 통해서도 가능합니다. Chan과 동료들은 여러 가지 방법을 분석한 결과, 정보를 통합하는 것이 변형 가능한 윤곽 모델을 사용할 때 자주 발생하는 많은 문제들을 해결하는 가장 성공적인 방법이라는 결론에 이르렀습니다.

7.2 임베디드 통합

'통합 통합(integrated integration)'으로 알려진 접근 방식 중 하나는 과거에 수집한 경계 정보를 이미지의 지역을 나누는 데 쓰는 알고리즘에 포함시키는 경우입니다. 이 단계를 수행하는 목적은 결과의 신뢰성을 확보하기 위함입니다. 대부분의 '지역 기반 분할 (region-based segmentation)' 알고리즘은 시작하기 전에 초기 지역이 어떻게 형성될지와 해당 지역이 어떻게 커질지를 미리 결정하는 것으로 알려져 있습니다. 이는 세분화 과정을 빠르게 하기 위해 필요한 단계입니다.

- 결정에 포함된 고려 사항을 관리하는 방법에는, 영역을 확장하는 데 있어 한계를 두는 중요한 요소인 '경계 정보

(boundary information)'를 고려하는 것이 포함됩니다.

- 씨드 배치(seed placement)에 대한 제안: 이미지의 가장자리 정보를 참고하여 어느 위치에 씨드를 심어 영역을 확장하기 시작할지 결정하는 것입니다..

7.2.1 결정 기준의 통제

통합을 임베디드 전략(embedded strategy)의 한 부분으로 사용할 때, 가장 많이 쓰이는 방법은 이미지의 가장자리(edge) 정보를 지역 기반의 세분화(region-based segmentation) 알고리즘에서 영역을 어떻게 커지게 할지 결정하는 기준으로 쓰는 것입니다. 이렇게 하는 이유는 최고의 결과를 얻기 위해서입니다.

영역이 커지는 것을 결정하는 기준을 만들 때는 영역의 경계에 대한 정보를 넣게 됩니다. "지역 확장(region expansion)"과 "분할 및 병합(split and merge)"은 지역을 나누는 방법 중 대표적인 두 가지입니다. 이 책의 1.4절에서 설명한 이 두 방법에 대해서는 아래에서 자세히 다루고 있습니다. 이 두 아이디어는 비슷한 원리인 유사성(similarity)에 기반을 두고 있지만, 세분화를 진행하는 방식은 서로 많이 다릅니다.

하지만, 모든 방법의 기본적인 아이디어는 같습니다. 그래서 이 방법들에 대해 더 쉽게 조사할 수 있도록, 이 두 종류의 알고리즘을 따로 논의하려고 합니다.

- **분할 및 병합 알고리즘에서의 통합**

분할 및 병합 알고리즘에서는 주로 영역 안에 있는 색(color)의 속성을 살펴보고 계산해서 영역이 얼마나 동일한 성질을 가지고 있는지(homogeneity)를 결정합니다. 만약 영역을 이루는 픽셀(pixel)들의 밝기(intensity)가 표준 편차(standard deviation)가 낮으면, 그 영역이 동일한 성질을 가진다고 볼 수 있습니다. 게다가 가장자리 정보를 더하면, 윤곽선이 전혀 없을 때 영역이 동일한 성질을 가진다고 보는 새로운 기준을 만들 수도 있습니다. 이 새로운 기준으로는 가장자리 정보를 더해서 새로운 규칙을 세울 수 있다는 것을 보여줍니다. 그래서 기존의 동일성 기준을 이 새로운 아이디어로 바꿀 수도 있고, 이 아이디어를 더해 기준을 보완할 수도 있습니다. 1989년, 엣지 감지(edge detection)를 이용해 분할 및 병합 방법을 조절하는 아이디어를 생각해 낸 사람은 Bonnin과 그의 동료들이었습니다.

영역을 나누는 결정 과정에는 영역의 가장자리와 그 특성의 밝기와 같은 것들을 고려하게 됩니다. 만약 어떤 영역에 가장자리 점 (edge point)이 없고 밝기의 동일성 기준을 만족한다면 그 영역은 그대로 유지됩니다. 가장자리 점이 있으면, 그 영역은 네 개의 작은 영역으로 나뉘고, 이 과정은 재귀적으로 계속됩니다.

엣지 검출기가 잘못 동작할 가능성이 있기 때문에 밝기의 동일성 기준이 중요합니다. 나누기 단계가 끝나면, 윤곽선의 두께가 얇아지고 초기 영역의 경계를 따라 엣지가 형성됩니다. 그리고 병합 과정의 마지막 단계에서는 엣지 정보를 고려해서 너무 많이 나뉜 (over-segmentation) 문제를 해결합니다. 이 마지막 단계에서는 가장자리가 없는 공통 경계를 가진 두 영역이 서로 붙어 하나의 큰 영역으로 합쳐집니다.

이 방법의 전체 구조는 그림 7.2에 나와 있습니다. 엣지 정보가 알고리즘의 두 부분, 즉 영역을 나누는 부분과 나뉜 영역들을 다시 합치는 병합 단계를 지배하게 됩니다. Brice와 그의 동료들이 한 연구에서는 분할 및 병합 접근법이 엣지 검출기와 함께 잘 작동한다는 것을 발견했습니다. 이 방법은 Bonnin이 이전에 말한 기본 원칙에 기반하여 개발되었고, 병합 단계에서 발생하는 엣지 분할 (edge segmentation)을 고려합니다.

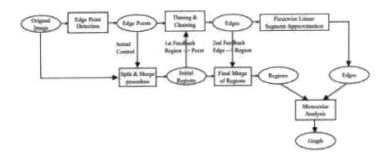

그림7.2: Bonnin 등이 제안한 세분화 기법의 구성도 엣지
정보는 알고리즘의 두 단계에서 분할 및 병합 절차를
안내합니다. 알고리즘의 두 단계, 즉 먼저 영역 분할을
결정하고 마지막으로 병합 단계에서 가능한
오버세그멘테이션을 해결하는 데 사용됩니다.

세분화 과정을 보다 나은 방향으로 개선하기 위해서, 규칙에 기반
한 접근 방식(rule-based approach)이 포함되었습니다. 이것은
정확도를 높이기 위해 이루어졌습니다. 제안된 방법의 대략적인 구
조는 그림 7.3에 나타난 알고리즘의 개요도로 보여집니다. 연구자
들은 영역을 나누고 합치는 방식(segmentation and merging
approach)이 실제로 중요하지 않은 많은 가로나 세로 경계를 만
들어내는 단점이 있다고 지적했습니다. 이 문제에 직면하여, 저자
들은 다양한 종류의 경계를 처리할 수 있는 규칙 기반 시스템
(rule-based system)을 개발했습니다.

더 정확하게 설명하자면, 각 경계의 기울기 평균을 사용하여 그 경계가 실제 물리적인 세계에 기초를 두고 있는지 확인합니다. 1997년, Buvry와 그의 동료들은 이전의 연구를 검토하고 스테레오비전 애플리케이션(stereo vision applications)에 적합한 고유한 계층적 영역 인식 방식(hierarchical region detection approach)을 제안했습니다. 이들은 이미 발표된 연구를 개선하기 위해 이 작업을 진행했습니다.

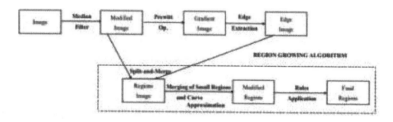

그림7.3: Buvry와 동료들이 제안한 세분화 방식은 영역을 나누고 합치는 과정에서 엣지 정보(edge information)를 사용하여 세분화를 안내합니다. 최종적으로, 일련의 규칙을 통해 엣지 정보 없이도 경계를 제거함으로써 초기의 세분화를 개선합니다.

이 방법은 기울기 정보(gradient information)를 활용하여 각 영역이 타당한지를 검사하는 계층적인 큰 덩어리에서 세밀한 부분까지 세분화(hierarchical coarse-to-fine segmentation)를 생성합니다. 세분화 과정의 각 단계에서 임계값을 계산한 후, 이 계산된 임계값에 따라 그라데이션 이미지(gradient image)가 이진화됩니다. 이미지의 닫힌 모든 영역에 기존의 색칠하기 방식(coloring approach)을 적용하면 해당 영역에 새로운 레이블이 부여되고, 새로운 영역이 결정됩니다. 또한, 영역 나누기 과정(segmentation process)이 끝났는지, 아니면 추가적인 나누기를 해야 하는지를 결정하기 위해 의사 결정 과정(decision process)에서 엣지에 대한 정보를 사용합니다. 그래서 각 영역에 속하는 모든 픽셀의 기울기 분포를 나타내는 그라데이션 히스토그램(gradient histogram)을 생성하고 그 특성(평균, 최대값, 엔트로피)을 분석하는 것이 이 목표를 달성하는 방법이 될 수 있습니다. Hill이 수행한 연구에서는 3차원 지형 사진(three-dimensional terrain images)을 세분화하는 기술을 개발했습니다.

엣지 픽셀(edge pixel)이 없는 영역은 알고리즘이 사용하는 동질성 기준(homogeneity criterion)입니다. 그리고 엣지 감지 오류(false positives and false negatives in edge detection)가 세분화 알고리즘에 미치는 영향을 고려하며, 오탐(false positives)이 더 심각한 결과를 가져올 수 있다는 증거를 제시합니다. 그 결과 엣지 검출기(edge detector)의 임계값을 오탐을 최소화할 수 있을 정도로 낮추어야 합니다. Bertolino와 Montanvert가 수행한 연구는 불균일한 피라미드 구조(irregular pyramid structure)를 사용하고, 엣지 정보를 활용하여 세분화 과정을 개선하는 방법에 대한 권장 사항을 제시합니다.

몇몇 연구자들은 이미지를 나누는 새로운 방법을 제안했습니다. 이 방법은 먼저 이미지 주변의 그래프를 만든 후, 이미지에서 얻은 엣지(Edge) 맵을 참고하여 이 그래프를 조절하는 것입니다. 이 방법을 "이웃 그래프(Neighborhood Graph)"라고 부릅니다. 그래프 안의 각 엣지(Edge)마다 가중치(Weight)가 정해지는데, 이 가중치는 r과 c라는 값 쌍으로 정의됩니다. 엣지(Edge)의 가치는 이 두 값에 따라 결정되며, 각각 두 영역이 공유하는 경계 위에 있을 수 있는 영역 요소의 수와 윤곽 요소의 수를 나타냅니다. 그 다음에, 알고리즘은 그래프 주위를 이동하며, 그래프의 각 가장자리에서 인접한 영역을 합칠지 말지를 결정합니다. 이 과정은 원하는 결과가 나올 때까지 여러 번 반복됩니다.

엣지 정보를 사용하는 분할 및 병합(Segmentation and Merging) 접근 방식은 결정을 내릴 때만 쓰이는 것이 아니라 더 넓은 가능성을 탐색하기 위해서도 사용됩니다. 이와 관련해 Gevers와 Smeulders는 1997년에 경계 정보를 이용해 영역을 어떻게 나눌지, 즉 지역 내에서 나눠야 할 위치를 정하는 새로운 기술을 소개했습니다.

이 방법은 경계에 대한 정보를 더 잘 활용하여 이미지 안의 가장자리를 따라 영역을 나누는 데 초점을 맞추고 있습니다. 저자들은 이전의 연구들을 바탕으로, 쿼드트리(Quadtree) 방식이 간단하고 계산하기 효율적이긴 하지만, 이미지의 기본 구조를 쿼드트리 그리드에 맞추지 못하는 것이 가장 큰 문제점이라고 지적합니다.

쿼드트리 시스템이 이런 문제를 갖고 있다는 것은 설계할 때 이미 알려진 사실입니다. 이 문제를 해결하기 위해, 저자들은 증분 델로네이 삼각 측량(Incremental Delaunay Triangulation)을 사용해서, 이미지의 방향과 배치에 제한을 받지 않고 그리드를 설계할 수 있게 하는 방안을 제안했습니다. 델로네이 삼각 측량을 통해, 이미지 데이터의 의미를 고려한 특정 수정이 가능한 그리드에 적용됩니다.

"분할(Segmentation)"이라고 불리는 과정에서는 이미지의 가장자리 부분에 있는 픽셀을 찾기 위해 그 지역의 차이를 측정하는 방법을 사용합니다. 그런 다음 이 픽셀들이 전체적으로 유사성 기준을 만족시키지 못할 경우, 그리드를 지역적으로 조정하기 위해 추가적인 정점(Vertex)으로 사용됩니다.

• 영역 확장 알고리즘에 통합

영역 확장 알고리즘(Integrated Region Growing Algorithm)은 특정 특성이 균일할 때, 예를 들어 강도(intensity), 색상(color), 또는 질감(texture)과 같은 특성들이 균일하면 그 영역이 더 커진다는 개념을 기반으로 합니다. 이 말은, 한 지역 내부가 비슷하게 생겼다면, 그 지역이 점점 더 확장될 것이라는 것을 의미합니다. 이 개념은 아래와 같은 다양한 상황에 적용될 수 있을 만큼 충분히 포괄적입니다.

1. 지역 확장(Regional Expansion): 이것은 비슷한 특성을 가진 새로운 이웃들을 포함시켜 지역의 크기를 키우는 전통적인 방법에 기반하고 있습니다.

2. 워터셰드(Watershed): 워터셰드 알고리즘은 홍수(flooding) 과정을 모방하여 점차적으로 지역을 확장하는데 도움을 주는 방법입

니다.

3. 활성 지역 모델(Active Region Model): 이것은 활성 등고선 모델링(active contour modeling) 방법론과 지역 확장 과정을 결합한 것입니다.

• **영역 확장**

영역 확장은 가장 간단하다고 여겨지는 영역 기반 세분화 (region-based segmentation) 방법 중 하나로 자주 사용됩니다. 이 과정은 시드 픽셀(seed pixel)이라 불리는 시작점을 정하는 것에서 출발합니다. 그리고 특정한 동질성 기준(homogeneity criterion)에 따라 비슷한 주변 픽셀들을 포함시키면서 영역을 점점 확대하고, 결국에는 원하는 크기까지 도달하게 됩니다. 여기서 동질성 기준은 어떤 픽셀이 확장되는 영역의 일부가 될 수 있는지를 결정하는 기능을 합니다.

픽셀을 병합(merge)할지 말지 결정할 때, 대상 영역과 현재 픽셀 사이에 이미 있는 대비(contrast)만을 고려하는 경우가 많습니다. 하지만 이 대비가 충분히 작아서 병합을 정당화할 수 있는지, 혹은 반대로 충분히 큰지를 판단하기는 어려울 수도 있습니다. 엣지 맵

(edge map)은 결정을 내릴 때 고려해야 할 추가적인 기준을 제공합니다. 그림 7.4는 이 방법에서 사용되는 일반적인 절차를 보여줍니다. 이 방법을 시작하기 전에 가장 먼저 결정해야 하는 것은 현재 검사 중인 픽셀이 윤곽선 픽셀(contour pixel)인지 아닌지입니다.

윤곽선이 발견되면, 그것은 개발 과정이 영역의 경계에 도달했다는 것을 의미하며, 해당 픽셀은 제거되고 영역 확장 과정은 종료됩니다. 엣지 정보를 영역 확장 알고리즘에 추가하는 것을 처음 시도한 사례는 Xiaohan과 그의 동료들에 의해 수행된 작업에서 찾아볼 수 있습니다.

그들이 제시한 특정 그림에서는, 픽셀의 엣지 정보가 그라데이션(gradient)의 계수 값과 함께 영역과 픽셀 사이의 대비의 가중치 합으로 구성된 선택 기준에 통합되어 있습니다. 엣지 정보를 영역 성장 알고리즘에 통합한 첫 번째 예는 바로 이 형태로 제시되었습니다. 이 방법으로 영역 성장과 그라데이션에 대한 정보 조합을 다음 공식을 사용하여 표현할 수 있습니다:

$$x(i,j) = |X_a^N v - f(i,j)| \qquad \text{(7.1)}$$
$$z(i,j) = (1-\phi)x(i,j) + \phi G(i,j)$$

이 방법을 위해서는 영역의 평균값을 나타내는 회색 값으로, 하나
하나 픽셀을 조정해 나가야 합니다. 여기서 'x'는 주변 부분(i, j)과
현재 픽셀의 대비 차이를 나타냅니다. 이 매개변수는 'G(i, j)'로
표시되며, 그라데이션(gradient)의 양을 정하는 데 쓰입니다. 문자
'z'로 표현된 최종적인 동질성(homogeneity)을 측정하려면, 작은
범위(local)와 큰 범위(global) 수준(i, j)에서 나타나는 대비를 다
합쳐야 합니다. 이 공식을 바탕으로 할 때, 우리가 토의하고 있는
절차는 두 단계로 나누어 설명할 수 있습니다.

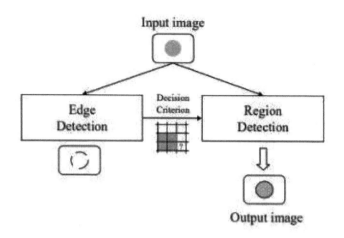

그림7.4: 내장된 결합 전략(Embedded Integration Strategy)의 결정 기준을 조정하는 방법의 도식화: '내장된 결합 전략'에서는 영역을 확장할 때 사용되는 결정 과정에 엣지(edge) 정보를 활용합니다.

첫 번째 단계에서는 현재 고른 픽셀이 'z(i, j)' 값이 정해진 기준보다 낮으면 그 영역에 합쳐집니다. 이 상황에서 첫 번째 단계가 끝나게 됩니다.

두 번째 단계는, 만약 첫 번째 단계의 조건이 충족되지 않을 경우, 현재 픽셀 주변의 작은 영역 내에서 그라데이션의 최댓값을 찾는 과정입니다. 이 단계는 지역적으로 그라데이션의 값이 가장 큰 지점에 이르러 멈추게 됩니다.

추천된 동질성 기준을 따라서 영역을 확장하는 것이 알고리즘의 첫 번째 단계이며, 이 절차에 대한 설명입니다. 두 번째 방법은 일반적으로 영역 기반 분할(region-based segmentation) 방식에서 발생할 수 있는 경계선의 부정확함을 피하기 위해 고안되었습니다. 이는 두 가지 다른 방법을 통해 달성됩니다. 이 문제를 해결하기 위해서는 분할 결과를 엣지 맵(edge map)과 동기화하여 목표를 향한 진전을 이룰 수 있도록 해야 합니다. 1994년, 팔라와 그의 동료들은 현재 논의하고 있는 내용과 비슷한 결합된 아이디어를 제안했습니다.

여기에 나와 있는 모든 작업들에서 그라데이션에 대한 정보는 영역을 확장하는 결정 과정에 중요한 요소로 사용되었습니다. 특정 기준보다 낮고 그라데이션 값이 낮은 픽셀들만 각 반복 단계에서 확장 영역에 포함될 수 있습니다. 이는 기준값을 바탕으로 어떤 픽셀을 포함시킬지 결정되기 때문입니다. 이 방법론의 또 다른 흥미로운 점은 다양한 조건에서 씨드를 고르는 방법입니다.

이 선택 과정은 여러 번의 영역 분할에서 나온 결과를 비교해 중복되는 부분을 찾아, 그 위치에 씨앗을 놓아 동질적인 영역에 속할 가능성이 높게 만드는 것을 목표로 합니다. 이는 다른 기준과 이미지를 스캔하는 방향으로 나눈 영역 분할 결과끼리 중복성이 있을 때, 그 중복되는 적절한 위치에 씨앗을 배치함으로써 이루어집니다.

이 선택은 다음과 같은 목적을 이루기 위해 진행되었습니다: 1992년에 살로티와 가베이는 이론적 기반을 만들어서 통합적인 세분화 시스템(Integrated Segmentation System)의 개념적 기초를 세웠습니다. 저자가 말하길, 기존의 세분화 방법에는 두 가지 큰 문제가 있습니다. 첫째, 그 방법들이 독단적이라는 점과, 둘째, 미리 정해진 순서대로 요구사항을 가정하는 것에 기초하고 있다는 점입니다.

이러한 문제점들은 기존 세분화 방법의 근본적인 결함이며, 그래서 우리는 이러한 결함을 해결하기 위한 해결책을 모색했습니다. 해결책으로는 어떤 선택을 할 때 중요한 방향을 제시했는데, 여기에는 어려운 결정을 내리기 전에 먼저 현장에서 정보를 모으고, 성공적인 협업을 위해 서로 보완하는 정보를 활용하는 과정을 사용하고, 필요한 추가 정보가 나올 때까지 결정을 미루며, 마지막으로 기회주의적 협력(Opportunistic Cooperation)을 가능하게 하기 위해 상황에 빠르게 적응할 수 있도록 하는 방법들이 포함되어 있습니다. 이 지침들의 기본 아이디어는 모든 결정이 신중하게 검토되어야 한다는 것입니다. 이는 많은 협업이 필요하다는 것과, 세분화 작업이 반드시 상위 프로세스가 시작되기 전에 완료될 필요는 없다는 것을 의미합니다.

결국, 이러한 아이디어들은 세분화 시스템(Segmentation System)이라는 영역 확장 절차(Domain Expansion Procedure)의 기본 모듈을 사용하여 실행됩니다. 분류하기 어려운 픽셀들은, 충분한 정보가 없어 명확한 결정을 내릴 수 없을 때, 이미지의 가장자리와 일치하는지를 판단하는 가장자리 감지기(Edge Detector)로 보내집니다. 벨렛과 다른 연구자들은 이전의 연구에서 사용했던 규칙들을 그대로 사용하면서 적응적 임계값(Adaptive Threshold)을 결정하기 위한 정보를 기반으로 하는 영역에 따른 엣지 팔로잉(Edge Following) 기법을 제안했습니다. 경사가 급한 곳을 따라가는 것이 어려운 경우, 보완적인 정보가 필요하고, 엣지의 양쪽에 영역이 있을 경우 이 정보를 효과적으로 전달할 수 있습니다. 그 다음에는, 낮은 경사값으로 변경된 엣지 프로세스(Edge Process)의 자식 프로세스가 생성됩니다. 이 자식 엣지 프로세스는 이전 단계의 결과로 만들어집니다.

저자는 또한 집계 기준의 지역적 특성에 맞게 적용하는 것에 대해 논의하면서, 다양한 유형의 영역을 구분하고 정의할 수 있는 방법을 제시합니다. 지역 확장(Region Growing)은 조사 대상 영역의 특성을 동적으로 정의한 다음에, 그 정의된 특정 기준 세트를 적용하는 방법입니다. 경계 정보를 사용하는 프로세스로 영역을 생성하는 것에 대한 또 다른 권장 사항을 감보토가 제안했습니다. 이 아이디어에는 개발 프로세스를 중단하기 위한 엣지 정보의 사용이 포함됩니다. 알고리즘의 첫 번째 단계에서는 그라디언트 이미지(Gradient Image)와 영역 내에 있어야 할 초기 시드(Seed)가 모두 필요합니다. 이 모든 것은 단계를 완료하기 위해 필요합니다. 그 후에는 영역에 바로 인접한 픽셀을 검사하여 유사성 조건을 충족하는지 확인하고 반복적으로 결합합니다. 두 번째 조건을 적용하면, 이러한 성장을 마칠 수 있습니다. 이들은 그라디언트가 포함된 영역의 경계 부분에 걸쳐 높은 값을 가지는 것을 가정하여 작업을 수행합니다. 결과적으로, 개발이 중단되는 지점은 방정식을 사용하여 해당 영역의 둘레를 기준으로 계산된 평균 경사도 $F(n)$에 의해 정해집니다.

7.2 맺음말

이미지 세분화란 이미지를 여러 영역 또는 세그먼트로 나누는 컴퓨터 비전의 프로세스입니다. 각 영역은 이미지의 다른 개체 또는 영역을 나타냅니다. 이 접근 방식을 통해 전문가는 이미지의 특정 부분을 분리하여 의미 있는 통찰력을 얻을 수 있습니다

이미지 세분화에는 여러 유형이 있습니다. 가장 대표적인 유형은 Semantic segmentation과 Instance segmentation입니다. Semantic segmentation은 입력된 이미지의 모든 단일 픽셀에 클래스 레이블을 할당하는 작업입니다. 예를 들어, 이미지의 픽셀에 '도로', '나무', '건물'과 같이 해당 콘텐츠를 설명하는 레이블을 할당하는 방식입니다. Instance segmentation은 이미지의 개별 개체를 식별하고 분할하는 작업입니다. 즉, 이미지의 각 객체에 고유한 레이블을 할당하고 각 객체의 경계도 식별할 수 있는 기술입니다.

이미지 세분화는 의료 영상, 자율 주행 자동차, 위성 영상 등 여러 분야에 응용됩니다. 예를 들어, 의료 영상에서는 이미지 세분화를 통해 병변이나 종양과 같은 비정상적인 영역을 찾아내거나, 인체의

각 부위나 장기를 구분할 수 있습니다. 자율 주행 자동차에서는 이미지 세분화를 통해 차량과 보행자, 교통 표지판이나 기타 도로 요소를 식별하고, 안전한 운전을 위한 정보를 얻을 수 있습니다. 위성 영상에서는 이미지 세분화를 통해 지형이나 토지 이용, 기후 변화와 같은 지리적 정보를 분석할 수 있습니다.

이미지 세분화는 딥러닝과 같은 인공지능 기술을 활용하여 더욱 발전하고 있습니다. 향후 이 분야의 더 많은 발전을 기대합니다.